SÉNAB

ARCHITECTE DU
DIEU VIVANT

Conception graphique de la couverture:
    Katherine Sapon
Illustration:
    Alain Massicotte
Cartes géographiques de la maquette intérieure:
    Maurice Murphy

Dans la même collection
Marcus, fils de la louve

Les Quinze, éditeur
(Division de Sogides Ltée)
955, rue Amherst, Montréal
H2L 3K4
Tél.: (514) 523-1182

Distributeur exclusif pour le Canada:
Agence de distribution populaire inc.
(Filiale de Sogides Ltée)
955, rue Amherst, Montréal
H2L 3K4
Tél.: (514) 523-1182

SÉNAB

ARCHITECTE DU DIEU VIVANT

MICHEL GUAY
JEAN BERNIER

LES AVENTURES DE L'HISTOIRE

Quinze

Données de catalogage avant publication (Canada)

Bernier, Jean, 1958 –

   Sénab, architecte du dieu vivant

   (Les Aventures de l'histoire).
Pour les jeunes.

ISBN 2-89026-382-7

I. Guay, Michel, 1943 –   . II. Titre. III. Collection:
Guay, Michel, 1943 –   . Les aventures de l'histoire.

PS8553.E76S46   1989   jc843'.54   C89-096168-9
PS9553.E76S46   1989
PZ23.B47Se   1989

Copyright 1989, Les Quinze, éditeur
Dépôt légal, 1er trimestre 1989
Bibliothèque nationale du Québec

ISBN 2-89026-382-7

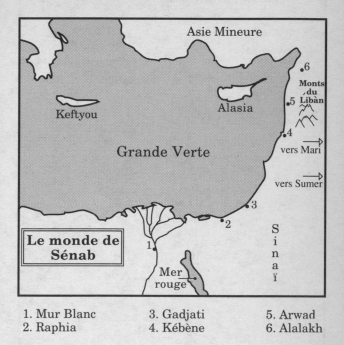

Le monde de Sénab

1. Mur Blanc
2. Raphia
3. Gadjati
4. Kébène
5. Arwad
6. Alalakh

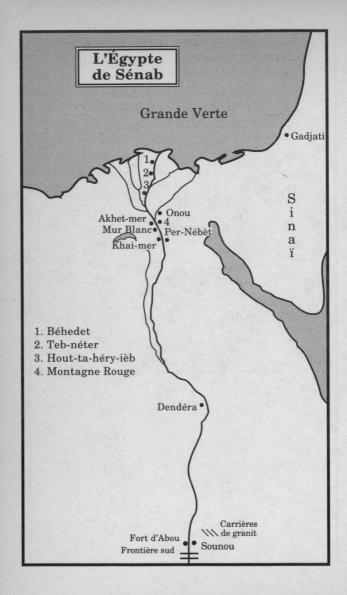

L'Égypte de Sénab

Grande Verte

Gadjati

1. Béhedet
2. Teb-néter
3. Hout-ta-héry-ièb
4. Montagne Rouge

Onou
Akhet-mer
Mur Blanc
Per-Nébèt
Khaï-mer

Sinaï

Dendéra

Carrières de granit
Fort d'Abou
Frontière sud
Sounou

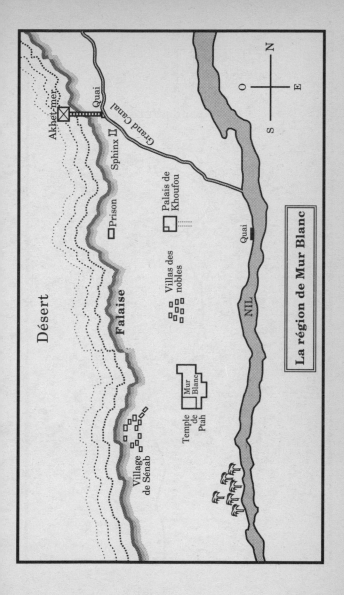

Prologue

Il y a de cela près de cinq mille ans, un peuple heureux vivait dans la vallée du Nil. Ce peuple usait de plusieurs noms pour désigner son pays: le Double Pays, les Deux Terres et, surtout, Kémyet, c'est-à-dire «terre noire», parce que la terre de la vallée, formée du limon laissé par les crues annuelles du fleuve, tranchait avec les sables du désert qui le bordaient à l'est et à l'ouest.

La prospérité des habitants de Kémyet n'était peut-être pas seulement due à ce limon fertile, mais aussi au fait qu'ils étaient gouvernés par un dieu, l'incarnation du faucon Horus, le propre fils du soleil. Ainsi, ils appelaient leur roi: dieu vivant et Nésou-bity, ce qui veut dire «roi de haute et de basse Égypte». Quand le roi mourait, il allait vivre pour l'éternité dans l'au-delà, tandis que l'Horus de Kémyet renaissait dans la personne de son fils.

Au moment où commence cette histoire, le Nésou-bity se nommait Khoufou. Quand il était monté sur le trône, neuf ans plus tôt, son premier geste avait été d'ordonner la construction de son tombeau. Celui-ci devait prendre la forme de la plus gigantesque pyramide que la terre eût portée, et Khoufou comptait sur la science des prêtres de Ptah pour mener à bien cette tâche digne d'un dieu.

 **1.**

Le calme régnait dans la vallée du Nil. Comme tous les matins, le disque solaire émergeait majestueusement de son horizon et se lançait à la conquête de la voûte céleste, selon la volonté de Khoufou, fils du dieu vivant, Nésou-bity, seigneur du vautour et du cobra.

En voyant les rayons de l'astre divin frapper la surface lisse du fleuve, Sénab hâta le pas. Il avait dormi trop longtemps. Pour la première fois en six ans, il était en retard.

Martelant le sol poussiéreux de ses vieilles sandales de papyrus, il se pressait de franchir la courte distance qui séparait son village de la capitale, Mur Blanc. La saison de Shémou* touchait à sa fin et le Nil, à son plus bas, coulait au milieu des champs que l'on avait dépouillés de leur riche récolte.

Comme son village était situé sur les pre-

_____

* Saison dite «de la récolte», couvrant les mois de mars à juin.

mières hauteurs de la falaise occidentale, Sénab pouvait apercevoir la ville à ses pieds, avec ses petites maisons de brique, serrées autour de l'enceinte parfaitement rectangulaire du Grand Temple de Ptah.

Un peu au nord, le palais royal se dressait au milieu de ses jardins sur une petite colline reliée à la capitale par un chemin surélevé.

Sénab passa en trombe la porte de la ville sans répondre au salut que le garde lui adressait du haut de l'imposante muraille de brique. Il courait presque à travers les rues étroites, bousculant la foule des ouvriers qui cheminaient en sens inverse vers le chantier de la Maison d'éternité du dieu. Celle-ci s'élevait lentement sur la falaise, un peu au nord de la ville.

Il franchit ensuite un mur bas pour pénétrer dans l'enceinte du Grand Temple. Il s'engagea dans l'allée bordée d'acacias qui menait à une porte monumentale donnant accès à la cour intérieure de l'édifice.

Avant de franchir la troisième porte qui menait aux appartements des prêtres, Sénab leva la tête: un faucon solitaire planait, majestueux, du côté du désert oriental. «Le divin Horus veille sur nous», se dit-il, rassuré par la présence de l'oiseau, incarnation du Nésoubity, seul maître de l'univers.

Sénab s'arracha à sa rêverie et songea au grand-prêtre. Niousséra ne tolérait aucun retard: ses élèves devaient arriver au temple avant le lever du soleil. Il avait beau être le préféré du maître, celui que ce dernier citait en exemple, il savait qu'il n'échapperait pas à la colère du grand-prêtre. Au contraire! il ne serait que plus impitoyable à son égard.

Le cœur de Sénab se serra à la pensée de déplaire à Niousséra, qui comptait encore plus à ses yeux que son propre père. Il entra en trombe dans le temple et se dirigea immédiatement vers la Maison de vie*.

Sénab chercha Niousséra des yeux. Le grand-prêtre était absent. Décidément, ce n'était pas un jour comme les autres. Seuls Ankh et Démout, les apprentis médecins de la Maison de vie, lui jetèrent un regard inquisiteur mais n'osèrent pas le questionner de peur que Niousséra n'arrive à l'improviste et ne les surprenne à parler.

Sénab essuya la sueur à son front. Comme il tendait le bras pour s'emparer d'un rouleau de papyrus sur l'étagère la plus haute de la bibliothèque, où étaient rangées les archives du temple, il sentit une présence derrière lui. Il se retourna. Le pontife de Ptah se tenait dans l'embrasure de la porte.

Niousséra était un grand vieillard au visage osseux, qui n'avait plus que quelques cheveux blancs sur la nuque et les tempes. Ses épaules se courbaient déjà légèrement sous le

_____

* La Maison de vie est la pièce ou la dépendance d'un temple qui sert à la fois d'école et de salle d'écriture et où se rassemblent les lettrés, les savants et les professeurs.

poids des ans, mais son regard exprimait une énergie et une détermination farouches. Il dirigeait les affaires du temple et de la ville avec une fermeté d'où n'était jamais exempte la justice. À titre de Maître de l'art, il était le premier architecte du pays et grand responsable des chantiers royaux.

Chaque fois qu'il se trouvait en sa présence, Sénab se sentait écrasé par cet homme qui le dominait tant par sa stature que par sa sagesse. Et la terrible exigence du maître ne faisait que redoubler le respect de Sénab à son égard.

— Sénab! Mets ton travail de côté et viens me retrouver dans la salle des Vêtements sacrés!

La voix du grand-prêtre était encore plus sévère que d'habitude. Que se passait-il donc?

Niousséra disparut dans les profondeurs du temple. Sénab rangea le précieux papyrus, ajusta d'un geste nerveux les pans de son pagne et se prépara à rejoindre le Maître de l'art. Il s'enfonça à son tour dans le sombre corridor qui séparait en deux la Maison du dieu. D'étroites ouvertures pratiquées dans le plafond de bois de résineux ne laissaient filtrer qu'une pâle lumière. Un fin rayon de soleil tombait exactement sur la tenture qui fermait l'entrée de la salle où se trouvait Niousséra.

Sénab écarta le rideau d'une main tremblante. Niousséra l'attendait, planté droit comme un cèdre. Des coffres de bois de

16

Kébène* occupaient la base des murs, mais leur partie supérieure était entièrement recouverte de signes sacrés où dominait la figure de Ptah, au corps moulé dans sa longue robe de lin. On y racontait comment le dieu avait créé l'univers grâce à sa parole. Sénab connaissait ces textes par cœur. Il était fier d'être associé au culte de Ptah, car c'était un dieu à forme humaine et non une de ces figures chimériques à tête d'animal. C'était aussi un dieu bâtisseur, un dieu intelligent qui avait appris les arts aux humains.

— As-tu bien rangé le papyrus? demanda le grand-prêtre.

— Oui, maître, dans la case des textes sacrés.

— Bien.

Niousséra sembla hésiter. «Pourquoi tant de mystère? se demanda Sénab. Le dieu aurait-il dédaigné les offrandes? Ma conduite est irréprochable: je ne bois pas de bière comme les autres apprentis, ma propreté est l'égale de celle de prêtres, j'assiste aux offices quotidiens et ma main trace les signes sacrés avec assurance...»

— La Majesté du roi Khoufou se rendra aujourd'hui même à Akhet-mer**, au chantier de sa Maison d'éternité, poursuivit Niousséra

---

* La ville de Byblos, qui se trouvait sur la côte du Liban actuel.
** Le nom égyptien de la pyramide de Khoufou, qui se traduit par «la pyramide où se lève et se couche le soleil».

17

d'une voix ferme. Comme le Nésou-bity souhaite célébrer dignement le neuvième anniversaire de l'ouverture de ce chantier, il m'a demandé d'organiser une tournée d'inspection pour sa Majesté et pour la Cour. Tu m'y accompagneras.

— Moi? s'exclama Sénab, abasourdi.

Nioٰuséٰra acquiesça de la tête.

— La Majesté du roi est infiniment sage, ô grand-prêtre, reprit Sénab d'une voix tremblante, mais pourquoi devrai-je être présent quand elle visitera le chantier?

— Le temple a besoin d'un porteur d'offrandes pour le cortège. J'ai décidé de te confier cette tâche pour te récompenser de ton zèle au service du dieu.

— Je pourrai m'approcher de la Majesté de Khoufou?

— Tu porteras le long pagne blanc et tu offriras à Ptah les fleurs du sacrifice, au nom de Khoufou, l'Horus, notre dieu.

— Maître, je suis indigne d'un tel honneur. Pourquoi ne choisis-tu pas un prêtre, comme le veut la coutume, plutôt que moi qui ne suis encore qu'un apprenti?

— Pas de fausse modestie, Sénab. Ta formation de wab* est terminée et tu seras bientôt reçu au collège des prêtres de Ptah. Désormais, tu serviras lors des rituels en l'honneur

---

* Mot signifiant «purifié» et désignant les prêtres.

de notre dieu bien-aimé. Et puis, de toute façon, il en a été décidé ainsi.

— Je te remercie de ta confiance et de ta bonté, déclara Sénab, à la fois heureux et terrifié à l'idée d'être mis en présence du Nésoubity.

Le cœur de Sénab battait à se rompre; les dernières paroles de Noussiéra venaient d'exaucer son vœu le plus cher: après six longues années d'études et de privations, il serait bientôt un prêtre de Ptah.

— Voici le pagne que tu porteras.

Niousséra souleva délicatement le vêtement de lin fin et le présenta à Sénab.

— Prends-le! Les femmes de l'atelier l'ont tissé exprès pour cette cérémonie.

Sénab tendit les bras et Niousséra y déposa le tissu d'un blanc immaculé.

— Prépare-toi, nous partons sur l'heure.

Sénab attendit que Niousséra eût quitté la pièce, puis il se rendit en courant au lac sacré pour s'y purifier avant de revêtir le vêtement neuf. Il dut descendre plusieurs marches, car le niveau du lac variait avec celui du Nil. À cause de la grande chaleur qui régnait déjà à cette heure matinale, l'eau lui parut glaciale et il ne put réprimer un violent frisson.

Il alla ensuite retrouver les prêtres qui s'étaient rassemblés à la porte du temple. Au milieu de la cour dallée, il leva la tête vers le disque solaire qui inondait la vallée de ses rayons brûlants. Sénab ferma les yeux et rendit grâce à Rê* pour toutes ses largesses. Depuis que Ptah avait créé l'univers, l'astre divin vivifiait la terre de Kémyet et veillait, tel un père nourricier, sur chacun des enfants du Nil.

Tandis que Niousséra l'observait à distance, Sénab tendit les bras vers le dôme céleste et s'inclina profondément, saluant le dieu de la Bonté et de la Vie.

*   *   *

Comme le voulait la coutume, le roi devait se rendre en bateau à sa Maison d'éternité. Mais le canal reliant le chantier au Nil était à sec en cette saison. Niousséra avait donc mobilisé des centaines de paysans des villages environnants, qui s'étaient succédé à la tâche nuit et jour, sous l'œil attentif de Wèni, le surintendant des travaux. On avait barré l'entrée du canal puis on y avait déversé de l'eau puisée dans le fleuve, jusqu'à ce qu'il soit navigable.

La délégation des prêtres de Ptah attendait patiemment l'arrivée du cortège royal sur le plateau brûlant du désert occidental que Niousséra avait choisi pour y élever la Maison d'éternité de Khoufou. La vue portait sur toute la vallée, jusqu'à Onou, à la pointe du

---

* Le dieu du soleil, une des divinités majeures de l'Égypte ancienne (plus tard connue sous le nom d'Amon).

20

delta, là où s'élevait le puissant temple de Rê*.

Les musiciens accordaient leurs instruments. Des femmes faisaient tinter leur sistre, tandis que des hommes soufflaient dans des flûtes de roseau ou pinçaient les cinq cordes de leur harpe.

La Maison d'éternité du dieu avait à peu près atteint sa mi-hauteur. Mais, vue du sol, elle prenait déjà l'aspect d'une montagne, d'autant plus qu'à sa forme véritable s'ajoutait, sur un côté, l'interminable rampe de brique et de sable grâce à laquelle on hissait les blocs. Sénab savait par contre que le sommet de cette montagne était parfaitement plat, prêt à recevoir la prochaine assise rocheuse, un peu plus petite que la précédente, et ainsi de suite jusqu'à ce que le monument se termine par un pyramidon recouvert d'or qui rejoindrait les étoiles.

Le roi Snéfrou, père de Khoufou et Juste de voix**, avait été le premier à choisir cette forme pour son tombeau. Il en avait même construit trois. Mais aucun de ces monuments n'approchait celui de son fils en dimension et en perfection.

Sénab sentit sa poitrine se gonfler d'orgueil en songeant que c'était la science de Ptah, dont Nioussiéra et ses prêtres étaient les

_____

* L'ancienne Héliopolis.
** Expression signifiant que la personne dont on parle est morte.

dépositaires, qui permettait de réaliser de tels prodiges. Et c'était à titre de prêtre de Ptah qu'il accueillait aujourd'hui le dieu vivant.

— Voilà le roi! s'écria un des prêtres.

Les prêtres s'étaient rangés derrière Niousséra sur la chaussée menant à la Maison d'éternité. Sénab respira profondément et, serrant nerveusement dans sa main les fleurs de lotus qu'on lui avait confiées, prit la place qui lui avait été assignée dans le cortège. Le grand pontife avait jeté sur sa longue robe de lin une peau de léopard dont la tête reposait sur sa poitrine; il semblait ainsi s'être approprié une part de la force de l'animal.

Du haut de la falaise, Sénab pouvait voir la barque de Khoufou qui s'avançait, imposante, sur le canal, suivie des petites embarcations portant les épouses royales, les princes et les princesses. Une foule bruyante s'était massée de chaque côté de la voie d'eau pour honorer de ses chants et de ses danses le dieu Horus, la source de toute vie.

Le canal formait un coude juste au pied du chantier, et c'est là que les navires sacrés accostèrent. Sénab avait les yeux rivés sur la tente élevée à l'arrière du navire royal. Un noble de l'entourage de Khoufou souleva le voile qui en fermait l'entrée et Sénab baissa instinctivement les yeux.

— Que la musique commence! ordonna Niousséra.

Le son limpide des sistres retentit, tandis qu'une mélodie, doucereuse comme l'encens de Nubie, s'éleva, portée par la flûte et le tambour. Sénab reconnut le chant que Niousséra psalmodiait tous les matins au lever du soleil en l'honneur du Nésou-bity.

Le cortège royal se forma sur la terre ferme juste devant la nouvelle statue de Khoufou qui protégeait le site sacré. C'est Niousséra qui avait eu l'idée de sculpter un gigantesque éperon rocheux en forme de lion dont le visage serait celui du dieu vivant.

Sénab perdit ensuite de vue le cortège qui entreprit sa lente ascension de la falaise. Lorsque les gardes émergèrent sur le plateau, il ne tarda pas à apercevoir la pointe en bronze de leurs lances éclatant au soleil. Il baissa d'abord les yeux, puis, risquant un regard, il aperçut enfin, assis sur le palanquin royal, balancé au rythme du pas des porteurs, l'homme-dieu qui était l'incarnation de toutes les forces de la vie sur terre.

Khoufou, impassible, portait la Double Couronne rouge et blanche et il serrait le sceptre d'or et d'argent sur sa poitrine. La reine et les épouses royales étaient recouvertes de plus d'or que Sénab n'en avait jamais vu. Il ne savait ce qui l'éblouissait le plus, de leur beauté ou de la magnificence de leurs bijoux. Hémyounou, le grand vizir, marchait juste derrière le palanquin. Il était l'oncle de Khoufou, né d'une princesse de sang. Son expérience des affaires de l'État était grande et personne ne contestait ses décisions.

Le Nésou-bity leva son sceptre. Les porteurs s'arrêtèrent et déposèrent doucement le palanquin sur le sol. Khoufou se leva de son trône doré et s'avança vers Nioussèra, qui se coucha de tout son long sur le sol, les bras tendus devant lui. Les prêtres l'imitèrent et la musique se tut.

— Ma Majesté est satisfaite de ton travail, grand pontife, déclara Khoufou d'une voix grave. Lève-toi et accompagne-moi. Je veux que tu me serves de guide. Toi seul connais tous les secrets d'Akhet-mer.

— La Majesté du dieu est indulgente d'ordonner à son plus humble serviteur de lui montrer le chemin de sa Ville d'éternité, répondit Nioussèra.

Les prêtres se relevèrent et deux d'entre eux vinrent aider Nioussèra à se remettre sur ses pieds. Le grand pontife se plaça à quelques pas du Nésou-bity, derrière le porte-éventail. Sénab s'était aussi approché du plus près que son audace le lui permettait. Il scruta le visage de Khoufou, immobile sous l'imposante couronne. Ses yeux cernées de khôl et sa mâchoire prognathe lui donnaient un aspect encore plus inhumain. Sénab ne pouvait détacher ses yeux du regard de Khoufou, où se lisait autant d'intelligence que d'orgueil, et celui-ci sembla remarquer ce jeune prêtre qui le fixait avec tant d'insistance. Sénab lui tendit respectueusement les fleurs qu'il tenait à la main. Comme il allait les prendre, la sandale de Khoufou glissa sur une pierre et le roi perdit l'équilibre. Il laissa échapper son sceptre.

Sans réfléchir, Sénab bondit et s'empara de l'objet. Un cri d'effroi monta de la foule. Le chef des gardes se précipita vers le jeune scribe et leva son poignard pour le frapper.

— Sacrilège! hurla le soldat avec rage.

— Non! cria Nioussèra saisissant avec fermeté le bras du garde.

Sénab avait lâché le sceptre et s'était écrasé contre le sol, se couvrant la tête avec les mains. Nioussèra tourna son regard affolé vers l'homme-dieu.

— Pardonne à ton serviteur d'implorer ta clémence, ô dieu! Sénab n'est qu'un jeune scribe sans cervelle. Il n'a pas voulu offenser ta Majesté.

— Qu'on le tue sur-le-champ! cria le vizir. Nul n'a le droit de toucher à la divinité du Nésou-bity.

Khoufou, imperturbable, réfléchit quelques instants qui parurent une éternité à Sénab. Il s'attendait à ce que le poignard du chef des gardes lui perce la peau à tout moment.

— Que l'on épargne sa vie! déclara enfin le roi.

Le dieu vivant se pencha lui-même pour reprendre son sceptre.

— Qu'il aille plutôt rejoindre les criminels qui taillent les pierres dans la carrière de granit! Telle est ma volonté!

Le chef des gardes fit un signe de tête et deux soldats saisirent Sénab par les épaules et le relevèrent. Ce dernier, réduit à une totale hébétude par ce qui venait de se passer, se laissa entraîner. Il n'arrivait pas à croire que tout cela était vraiment arrivé. Il se disait que c'était un mauvais rêve dont il s'éveillerait bientôt.

Ce fut la vue de Niousséra se dressant devant lui tandis que les gardes l'emportaient qui lui fit retrouver ses esprits. Il pouvait lire toute la souffrance du grand-prêtre dans ses yeux.

— Aide-moi! Aide-moi! supplia-t-il.

En vain. L'un des gardes le frappa de sa longue lance et on le traîna vers le sentier qui menait à l'embarcadère.

 **2.**

— Es-tu bien certain que c'est pour aujourd'hui, père?

— Le chagrin me trouble la mémoire, mais je crois bien me souvenir des paroles de Niousséra, le grand-prêtre: «La barge quittera le quai de Mur Blanc après le lever du soleil», voilà ses paroles.

— La loi du dieu est impitoyable envers mon frère!

— Ne blasphème pas, Persen! s'écria le vieillard en s'appuyant encore plus lourdement sur le bras de son fils.

— La Carrière Rouge est pire que la mort!

— Je sais, mais c'est la volonté du dieu. Ton frère a commis un crime impardonnable. Il ne nous reste plus qu'à pleurer son sort.

— Pauvre Sénab! Jamais il n'aurait fait de mal à une mouche... C'est trop injuste!

Le vieux ne répondit pas, mais des larmes roulèrent sur ses joues. Il se laissa choir sur la terre granuleuse. Il avait demandé à Persen, son fils aîné, de l'accompagner jusqu'au bord du fleuve, espérant apercevoir une dernière fois celui que le destin avait frappé si cruellement.

— Toujours rien, soupira Persen, plaçant la main en visière. Rentrons. Vois ce nuage qui pèse sur l'horizon du couchant, une tempête se prépare.

— Je ne partirai pas d'ici tant que je ne l'aurai pas vu une dernière fois, gémit le vieux, dussent mes os devenir poussière!

Persen se résigna et il s'assit à côté de son père qui se tenait immobile, comme fasciné par un point invisible en aval du fleuve.

*   *   *

On avait enfermé Sénab dans la prison attenante à la caserne du chantier d'Akhet-mer. Il n'avait pas fermé l'œil de la nuit. Dans l'obscurité oppressante de son cachot, les heures lui avaient paru des siècles. «Toutes ces années de travail pour rien! songeait-il. Et Néférouret, ma bien-aimée? Elle en épousera un autre! Je ne connaîtrai jamais la douceur de dormir à ses côtés.»

Sénab avait longuement imploré la miséricorde de Ptah. Mais le dieu était resté sourd à sa prière. Recroquevillé dans un coin du cachot, il finit par s'abandonner au désespoir et au sommeil.

Il se réveilla au petit matin dans la même position. Niousséra venait d'entrer dans la pièce.

Sénab étira ses membres engourdis mais ne trouva même pas la force de se lever.

— J'ai un lourd secret à te confier, mon fils, commença le grand-prêtre. Écoute-moi bien, car il dépend de toi que la construction de la Maison d'éternité du dieu soit menée à bien.

— Ne te moque pas, grand pontife! Tu sais que je suis un mort en sursis. Je n'apporterai plus jamais de pierres aux constructions du Nésou-bity.

— Tu te trompes! Khoufou, notre dieu vénéré, te charge d'une mission très délicate...

Sénab bondit sur ses pieds et, pour la première fois de sa vie, sentit sourdre en lui une sombre colère contre le grand-prêtre.

— Ah oui? Carrier jusqu'à la fin des temps? rétorqua-t-il.

— Tais-toi! coupa brutalement Niouxséra. Tu ignores tant de choses encore. Jure-moi d'abord que tu garderas jalousement les secrets que je m'apprête à te révéler.

— Je te le jure, répondit Sénab, radouci.

— Au fond, ce qui s'est passé hier m'arrange...

Sénab ne comprenait plus rien. Niouxséra, malgré sa sévérité, avait toujours été si bon pour lui.

— Ô grand-prêtre, pourquoi te réjouis-tu de mon malheur?

— Ta maladresse te permettra de servir le dieu comme tu ne l'avais jamais fait auparavant. J'ai réussi à convaincre le Nésou-bity de commuer ta peine en une mission à son service. De nombreux accidents ont gravement ralenti le rythme des travaux à la Carrière Rouge. L'un des conseillers personnels de Khoufou a mené une enquête; son corps a été retrouvé sur les berges du Nil, bourré de pierres. Je crains qu'il ne s'agisse d'une conspiration de grande envergure. Mais Khoufou est jeune et courageux; il refuse de prendre les mesures qui s'imposent. Il ne connaît ni la peur ni l'étendue de la haine des hommes. Mais moi je les connais.

Le regard du grand-prêtre exprimait une inquiétude que Sénab ne lui avait jamais vue.

— Je ne sais qui soupçonner, poursuivit Niousséra. Peut-être les adorateurs de Seth fomentent-ils une nouvelle révolte? Peut-être s'agit-il du clergé de Rê, qui envie notre puissance? Ou peut-être est-ce quelqu'un du palais même? Je me méfie profondément de ces courtisans, tous plus faux les uns que les autres. Une chose est sûre: le chaos cherche à prendre le pas sur Maat*! Il faut à tout prix empêcher cela.

— Mais en quoi puis-je être utile?

— Tu seras les yeux et les oreilles de Khoufou! Je cherchais quelqu'un de fiable pour s'infiltrer dans la Carrière Rouge. Le Nésoubity refuse de prendre mes paroles au sérieux. J'ai besoin de preuves, et je compte sur toi pour m'en rapporter.

---

* Déesse de la vérité, de la justice et de l'ordre social.

— Pourquoi ne pas m'avoir alors envoyé à titre d'inspecteur, tout simplement?

— Impossible! Les rebelles t'auraient repéré trop facilement. Mais ton geste stupide vient nous offrir la solution que nous cherchions vainement. Un condamné comme toi passera parfaitement inaperçu.

— Et ma famille! Et mon père, Ptahméry? Il faudra le prévenir...

Niousséra secoua la tête:

— Personne ne doit connaître la nature de ta mission. Là-bas, n'aie confiance en personne!

— Ne puis-je au moins voir une dernière fois Néférouret, la femme qui m'a été promise en mariage?

— Non! Personne!

Le jeune homme s'écroula, anéanti, ne pouvant retenir plus longtemps les larmes qu'il essayait de toutes ses forces de refouler au plus profond de lui-même. «Pourquoi cela m'arrive-t-il à moi?» se demandait Sénab, tandis que Niousséra posait affectueusement la main sur la tête de celui qui était devenu, au fil des ans, bien davantage que le fils de sa propre chair.

— Celui qui obéit à la volonté du dieu sauve sa vie et revit éternellement, déclara solennellement le grand-prêtre. Courage, Sénab, je suis fier de t'avoir préparé, sans le savoir, à une mission aussi importante.

Tandis qu'il s'abandonnait à ses larmes, Sénab sentait une lueur d'espoir briller en lui:

une mission terrible l'attendait et lui promettait de grandes souffrances, mais il allait servir le dieu vivant. Il se devait de réussir, pour racheter sa faute, bien sûr, mais aussi pour ne pas déchoir de la confiance que Niousséra plaçait en lui.

Des pas résonnèrent et un garde poussa la porte de bois qui grinça sur ses gonds de métal.

— Avance! ordonna le soldat à Sénab. La barge est prête. Tu pars à l'instant même.

Sénab se releva et s'essuya les yeux.

— Sache que je n'oublierai jamais ce que tu m'as enseigné, dit-il à Niousséra. Et veille sur les miens!

*   *   *

À l'embarcadère de Mur Blanc, des paysans et des ouvriers s'étaient massés sur la jetée, échangeant des réflexions au sujet des condamnés qui s'embarquaient pour la Carrière Rouge. Tous les regards étaient rivés sur Sénab au moment où le jeune scribe, pieds et poings liés, franchissait l'étroite passerelle qui reliait le quai au pont du navire. Soudain, un cri strident retentit dans la foule:

— Non! Sénab! Ne me laisse pas! Que tous les dieux m'entendent!

Le jeune scribe s'arrêta net. Aussitôt, un garde le poussa brutalement et Sénab n'eut d'autre choix que de suivre les autres. Quand il eut posé pied sur le pont de la barge, il chercha des yeux celle qui avait crié son nom.

— Néférouret! hurla-t-il en apercevant une jeune fille de quatorze ans, aux longs cheveux nattés, qui s'était frayé un chemin au premier rang de la foule.

— Prends cette amulette, Sénab, et porte-la à ton cou. Bès* saura te protéger des serpents et des scorpions.

La petite pièce de faïence verte vola dans l'air et vint atterrir aux pieds du jeune homme. Il se retourna, implorant, vers le marin qui se tenait à côté de lui. Ce dernier, qui avait à peu près le même âge que Sénab, ramassa l'amulette et la pendit au cou du prisonnier.

— C'est ton épouse? demanda-t-il, ému par la scène qui se déroulait devant ses yeux.

— Non! Mais elle m'a été promise, répondit Sénab, dont le regard traduisait une tristesse infinie.

— Je t'attendrai, Sénab, cria Néférouret. Jamais je n'oublierai notre serment et ne prendrai d'autre homme que toi. Ptah et Sekhmet** m'en sont témoins.

Un ordre retentit et des marins tirèrent à bord les cordages de papyrus qui amarraient la barge tandis que d'autres s'empressaient de déployer la grande voile rectangulaire que le vent prit immédiatement d'assaut. Sénab sen-

---

* Génie qui protège les humains.
** Déesse-lionne, épouse de Ptah.

tit la barge bouger sous ses pieds. Il voulut crier une dernière parole d'encouragement à celle qu'il aimait, mais les mots se bloquèrent dans sa gorge.

*   *   *

Le vent chaud du désert occidental s'était brusquement levé. Une fine poussière montait vers le ciel et commençait à ternir l'éclat de Rê. Au moment où Ptahméry et Persen aperçurent le navire, la tempête fonçait déjà vers la vallée, faisant ployer les palmiers comme s'ils n'avaient été que de simples roseaux.

— Ne restons pas là, déclara Persen, qui s'était levé et qui titubait sous la force des premières bourrasques. Seth est en colère contre nous.

— Je ne bougerai pas d'ici! grogna Ptahméry. Je veux revoir mon fils... Une dernière fois...

— Tu ne verras rien du tout, père, répliqua Persen en tirant par le bras le vieillard qui refusait obstinément de se laisser entraîner. C'est une tempête du désert et ce sable maudit nous écorchera jusqu'à ce que nous soyons couverts de sang.

— Laisse-moi et cours à la maison! ordonna Ptahméry. Veille à ce que les ânes soient bien à l'abri!

Se pliant de mauvaise grâce à la volonté de son père, Persen disparut à travers l'horrible nuée qui brûlait les yeux et s'immisçait jusqu'à l'intérieur des vêtements. Ptahméry se blottit derrière un bouquet de palmiers. Bravant la tourmente, il tentait de distinguer sur le fleuve la masse sombre du navire qui emportait son fils.

Puis le vent s'apaisa aussi brusquement qu'il s'était levé. Ptahméry essuya son visage et s'avança vers le Nil. La barge était passée. Il ne voyait plus qu'un point sombre qui, imperturbable, poursuivait sa route vers le sud.

 **3.**

— Fouillez la rive droite et ouvrez l'œil. Je m'occupe de ce côté-ci. Rappelez-vous les ordres de Kanéfer, notre gouverneur: il faut ramener le fuyard, mort ou vif.

Bakâ était l'un des meilleurs éclaireurs de toute la région. À titre de Chef des Dix de la milice du fort d'Abou*, il était passé maître à la chasse aux déserteurs nubiens, qui l'amusait encore plus que la chasse aux crocodiles.

Les rameurs se mirent à pagayer avec force. En moins de deux, les barques avaient atteint les épais fourrés de joncs qui couvraient chacune des rives du fleuve. Avec la pointe de leur arc, les soldats écartaient les hautes tiges, cherchant à débusquer leur proie.

À quelque trente coudées** de là, sur la rive orientale, un Nubien était blotti parmi les

---

* Fort situé sur l'île Éléphantine, à la frontière sud, et faisant partie du nôme de To-Séty (l'Égypte ancienne était divisée en plusieurs provinces appelées «nômes»).

** Mesure de longueur correspondant à 50,3 cm.

joncs. Quelques instants plus tôt, il fuyait sur le fleuve, quand il avait vu sa frêle embarcation de papyrus sombrer sous ses pieds. Abandonnant l'épave, il avait nagé comme un forcené jusqu'à la rive.

Il était aux abois, car il venait d'apercevoir dans une barque, à travers les troncs graciles, les pagnes blancs d'une troupe de soldats. Il pouvait entendre les cris joyeux des hommes qui ne voyaient dans cette mission qu'une partie de plaisir. Il songea un moment à s'enfuir du côté du désert, mais les dunes de sable blanc coulaient jusqu'au fleuve et, à découvert, les archers l'auraient rapidement repéré et abattu.

De l'eau jusqu'à la taille, il serrait les poings en faisant jouer son importante musculature, se désolant de ne pouvoir utiliser sa force qui l'avait si souvent tiré d'affaire. Il voyait en imagination comment il aurait pu écraser ces hommes du nord en combat singulier, leur brisant les os un à un. Mais la lutte était si inégale! Priant tous les dieux de sa tribu, il gardait espoir que les soldats passent leur chemin sans le voir.

Il commençait à se croire sauvé, lorsqu'il aperçut les roseaux qui bougeaient sur sa droite, entre lesquels s'immisçait la proue d'une barque portant quatre soldats. Le fuyard s'apprêtait à plonger pour tenter de leur échapper quand l'esquif heurta une masse sombre qui flottait à fleur d'eau et que les soldats n'avaient pas aperçue. À peine les rameurs s'étaient-ils rendu compte de leur erreur qu'un monstrueux hippopotame, dérangé dans son sommeil, ouvrit toute grande la gueule. L'animal poussa un sourd grognement et, d'un coup de tête, renversa la barque, avant de s'éloigner paresseusement.

Voyant la barque vide, Itaou bondit en tentant de se dégager de la vase qui lui emprisonnait les chevilles. Après quelques difficiles enjambées, il s'agrippa fermement à la proue et parvint non sans peine à se hisser à son bord.

— Le Nubien! hurla l'un des soldats qui pataugeaient dans l'eau boueuse.

Bakâ, alerté par leurs cris, s'était précipité au secours de ses hommes. Lorsqu'il aperçut le jeune Noir sauter dans l'embarcation, il fit signe aux rameurs de foncer droit sur lui. Avant même que ce dernier n'ait pu réussir à s'emparer de l'une des pagaies qui flottaient tout près, les archers de Bakâ avaient bandé leurs arcs et pointaient vers lui leurs flèches meurtrières.

— Que Sekhmet* m'entende, Itaou! Cette fois, tu es fait comme un crocodile. Rends-toi, ou je t'envoie chez tes ancêtres!

Se voyant pris au piège, Itaou cessa de lutter. Il leva les bras bien haut et, en signe de soumission, plaça les mains derrière la tête. Après avoir récupéré leur barque, les soldats

---

* La déesse Sekhmet était reconnue pour sa fureur.

le ligotèrent solidement, ne ménageant ni les coups ni les injures.

Bakâ était satisfait. Savourant sa victoire, le Chef des Dix ordonna sans tarder le retour au fort d'Abou.

*   *   *

À l'entrée de la carrière de granit rouge, Mérou, le surintendant des travaux, s'était fait construire, pour se protéger des rayons meurtriers de Rê, un petit abri avec quatre pieux et une toile épaisse. C'est là, assis sur son tabouret, qu'il avait convoqué les chefs d'équipe.

— Aujourd'hui, chacun doit redoubler d'ardeur et de vigilance, commença-t-il. Sénab a dressé la liste des ouvriers qui retiendront les câbles. Que tous ceux qui ne prennent pas part au travail quittent immédiatement le chantier et qu'on les enferme dans leur baraquement. C'est compris?

Trapu, avec des yeux minuscules très rapprochés où il aurait été difficile de découvrir la moindre étincelle d'humanité, Mérou dirigeait les travaux d'une main de fer. Pour lui, seul importait le respect des échéances de livraison imposées par le palais. Les hommes qu'il commandait étaient des réprouvés, condamnés à mort pour avoir offensé le dieu vivant; leur vie n'avait donc aucune importance à ses yeux.

Lorsqu'on lui avait amené Sénab, il avait

vite compris le parti qu'il pouvait tirer de la formation de scribe du jeune homme. Trop heureux d'éviter le lourd labeur que représentait le maniement des pics et des «pierres qui usent», ce dernier avait accepté de seconder Mérou dans la tenue des livres du chantier. Au fil des mois, Mérou avait su reconnaître la profonde honnêteté de Sénab et avait fini par lui confier la tâche d'organiser et de superviser les équipes d'ouvriers.

Malgré sa condamnation, le jeune scribe jouissait d'une totale liberté de mouvement dans la carrière. N'oubliant pas la mission que lui avait confiée Niousséra, il n'accordait sa confiance à personne, même pas à Mérou; il soupçonnait tout le monde. Pourtant, jusqu'à ce jour, sa mission n'avait pas donné plus de fruits que le Nil ne donne de miel.

— Allez-vous-en tous, sauf Sénab! ordonna soudain Mérou. Toi, verse-moi à boire! fit le surintendant quand ils furent seuls. La chaleur est insoutenable et Rê nous écorche la peau.

Sénab s'empara de l'une des outres qui étaient alignées à l'ombre, au creux d'un repli à la base du rocher qui surplombait l'abri, et versa l'eau précieuse dans un gobelet d'argile rouge.

Le surintendant s'essuya les lèvres après avoir bu d'un trait.

— Tu n'as rien remarqué d'anormal dans ta tournée d'inspection? demanda-t-il à Sénab.

— J'ai vérifié tout le matériel. Rien ne cloche.

— C'est ce que tu m'avais dit la dernière fois, tu te rappelles?

— Le bloc avait glissé, tout simplement. Ce n'était qu'un bête accident.

Sénab rougit et se mit à jouer nerveusement avec son calame.

— J'ai choisi les hommes les plus solides, continua-t-il, tentant de dissiper le malaise.

Il tendit à Mérou la pierre plate où il avait inscrit les noms.

— Hum! Tu n'as que quatre équipes de dix hommes. N'oublie pas que c'est la plus grande dalle jamais taillée. Il faut la sortir de là avec soin et la charger sur la barge avant trois jours. À Akhet-mer, le Maître de l'art l'attend avec impatience. Il en fera le plafond de la salle funéraire principale. Quand je pense qu'il en a commandé neuf de ces dimensions-là, j'ai l'impression qu'il est tombé sur la tête!

— Où veux-tu que je trouve d'autres hommes? objecta Sénab. Ce sont les plus forts de tout le chantier.

— Ce n'est pas mon problème, mais le tien! s'écria Mérou. À moins que...

Le chef du chantier se leva et chuchota quelques mots à l'oreille du serviteur qui se tenait derrière lui. L'homme détala en direction du fort d'Abou.

— Quels ordres as-tu donnés? s'enquit Sénab.

— Attends! Tu verras! Pour le moment, va

avec les chefs d'équipe et occupe-toi de rassembler les hommes pour le travail de la journée.

*   *   *

Depuis l'aube, la carrière creusée à même la falaise bourdonnait d'une intense activité. Devant le spectacle de tous ces hommes qui peinaient en attendant la mort, leur seule alliée, une immense tristesse envahit le cœur de Sénab. Un an avait passé depuis son arrivée dans cette contrée de malheur; un an avait passé depuis que ses yeux avaient contemplé la beauté de Néférouret pour la dernière fois et il se demandait s'il la reverrait jamais.

Suivi des chefs d'équipe, Sénab emprunta le sentier qui menait à la colline la plus riche en granit de qualité. C'est là que de nombreuses générations de carriers avaient peiné pour en extraire les blocs que d'habiles sculpteurs transformaient en images vivantes des dieux.

— Le chemin de sable est-il prêt? s'enquit Sénab en désignant la rampe qu'on avait érigée pour y faire glisser la dalle une fois qu'on l'aurait détachée de son nid de pierre, à flanc de montagne.

— Nous avons presque terminé, répondit un ouvrier. Il ne reste plus qu'à y déverser les huiles grasses*.

---

* Les huiles grasses servaient à diminuer le frottement des traîneaux sur le sol.

Après avoir fait l'appel des hommes inscrits sur sa liste, Sénab ordonna aux quatre chefs d'équipe de préparer les cordages et d'amener le grand traîneau de bois juste en dessous de la dalle.

Derrière lui, des cris retentirent. On discutait vivement dans une langue qu'il ne connaissait pas. Il se retourna et une troupe d'hommes à la peau noire, encadrés par des soldats, déboucha du sentier qui montait vers la vallée.

— Des Médjaïs! s'exclama-t-il.

— Ce n'est pas que je les aime beaucoup, déclara Mérou qui marchait derrière la petite troupe, mais quand la force des muscles est requise, il n'y a pas de doute là-dessus, ils sont irremplaçables. Pour être certain que nous n'échouerons pas encore une fois avec la dalle, j'ai décidé de les emprunter à Bakâ, le chef de la milice du fort d'Abou, où ils sont de service. Je sais que ce n'est pas très réglementaire, mais je ne veux plus prendre de risques avec ces dalles.

— Pourquoi celui-là est-il ligoté? demanda Sénab à l'officier, en désignant l'un des Médjaïs qui dépassait tous les autres d'une tête.

— Il s'appelle Itaou, répondit un soldat, déposant son arc contre un des patins du traîneau. Le gouverneur l'a condamné aux travaux forcés de la montagne parce qu'il a voulu déserter.

— Cela nous fait donc un ouvrier permanent de plus, s'écria Mérou avec une satisfaction évidente.

Sénab jeta un regard furtif vers le jeune Nubien, puis inscrivit son nom sur le papyrus où il avait consigné la liste officielle des ouvriers affectés à la carrière.

* * *

La dalle était taillée à la verticale dans la falaise qui présentait la plus belle qualité de granit. Les carriers avaient d'abord fait éclater les contours de l'immense pierre à l'aide de coins de bois qu'ils avaient mouillés d'eau, et le moment était venu de détacher le bloc. Une fois accomplie cette opération délicate — il ne fallait surtout pas que le granit se fende au milieu —, les ouvriers devaient retenir la dalle pour qu'elle se dépose en douceur sur le traîneau afin de la tirer jusqu'aux barges de transport.

Parmi les ouvriers qui se pressaient sur l'étroite corniche qui dominait la dalle, certains avaient inséré des pieux de bois dans la fente créée par les coins, tandis que d'autres s'affairaient à attacher de solides câbles à la pierre.

Sénab avait gravi un sentier escarpé pour inspecter leur travail. Préoccupé, il observait les gestes précis des ouvriers.

— Les câbles sont-ils solidement ancrés? demanda-t-il à l'un d'eux.

— Tu as ma parole, maître! répondit

l'homme, dont le corps était couvert de poussière rouge.

— C'est bien. À mon ordre, vous laisserez descendre la pierre... très lentement.

Le scribe revint auprès du traîneau.

— Dès que la pierre se mettra en mouvement, lança Sénab au chef de la troisième équipe, qui se tenait au pied de la rampe et à laquelle s'étaient adjoints les Nubiens, utilisez vos pieux pour retenir le traîneau. Cent coups de fouet au maladroit qui commet une fausse manœuvre!

— Sois sans crainte, lança un ouvrier, avec bravade.

C'était un type musclé qui portait une longue cicatrice au bras droit.

— Nous avons haussé la rampe de sable au maximum, continua l'homme. La dalle va se déposer en douceur, comme une feuille de papyrus!

— Alors, Sénab, grogna Mérou, qui s'approchait le long de la rampe, c'est pour aujourd'hui ou pour demain?

— Que la Grande Dame du ciel* veille sur nous! lança Sénab. Chacun est à son poste. Mais je t'avoue que je ne serai complètement rassuré que lorsque la dalle sera chargée sur le navire et prête à partir pour Mur Blanc.

Sénab bomba le torse comme pour se donner du courage. Il jeta un dernier regard à la

---

* La déesse Hathor, divinité principale de la ville de Dendéra et mère mythique du Nésou-bity.

pierre qui semblait le défier de sa masse rouge brillant au soleil. Les hommes s'étaient tus, attendant le signal. Sénab leva alors bien haut le bras:

— Allez-y!

Les hommes, sur la corniche, se mirent à tirer de toutes leurs forces sur leurs leviers. La dalle refusa de bouger. De nouveau, ils actionnèrent leurs longs pieux. Rien n'y fit. Au troisième signal de Sénab, la dalle refusa toujours obstinément de se détacher de la falaise.

Après ces trois tentatives infructueuses, le jeune homme sentit un malaise sourdre en lui. Il s'apprêtait à monter sur la corniche lorsque, soudain, un sourd craquement retentit: la dalle venait de céder. Complètement dégagée de la paroi, elle amorçait sa lente descente.

Le scribe, la gorge serrée, grimpa sur l'un des patins du traîneau, comme s'il eût voulu lui-même saisir l'immense pierre rouge.

— Tenez bien les câbles! cria-t-il nerveusement aux ouvriers qui suaient à grosses gouttes.

À peine avait-il terminé sa phrase que l'une des attaches se brisa. Le câble claqua et vint s'écrouler dans un nuage de poussière aux pieds de Sénab. Sans perdre son sang-froid, celui-ci leva la tête. Heureusement, la dalle était toujours en place, suspendue quelques coudées seulement au-dessus du traîneau.

— Ça va! grogna-t-il. Les autres cordages

ont tenu le coup. Une double ration de bière à tout le monde si...

Un second câble se rompit et vint frapper de plein fouet un des ouvriers qui retenaient le traîneau. Le sang gicla et l'homme tomba à la renverse. À son grand désespoir, Sénab vit l'immense dalle pivoter sur son axe horizontal et menacer de s'écraser à côté de la rampe.

La panique s'empara des ouvriers. Certains se blottirent contre la paroi, d'autres sautèrent en bas de la rampe. Un cri d'effroi emplit la carrière. Les hommes avaient lâché les derniers câbles.

Figé de peur, Itaou restait planté comme une statue, l'épaule appuyée au traîneau. Apercevant le jeune Médjaï du coin de l'œil, Sénab fonça sur lui, sans réfléchir. Au moment où la pierre allait fracasser le traîneau, Sénab se rua sur Itaou et le prit à bras-le-corps. Sous le choc, les deux garçons roulèrent en bas de la rampe. Moins rapides, deux ouvriers étaient restés coincés entre la pierre et le traîneau. La main de l'un d'eux bougea quelques instants, implorant un secours impossible, puis s'affaissa, inerte.

— Ne reste pas étendu comme une vieille femme! cria Mérou à Sénab. Va voir si la dalle est intacte.

Sénab était aveuglé par le sang qui emplissait son œil droit — son front avait heurté une pierre dans sa chute. Il peina pour se dégager du corps d'Itaou, beaucoup plus lourd que lui. Malgré la douleur qui lui martelait la tête, il escalada la rampe en titubant. Le sable fuyait sous ses pieds et chaque nouvel effort pour se hisser tout en haut faisait couler le sang de son front avec plus de force. Parvenu au sommet, il s'agrippa au patin du traîneau et parcourut du regard la surface de la dalle.

— Alors, Sénab? hurla Mérou, que la colère étouffait.

Sénab contourna l'immense pierre puis s'arrêta net.

— La surface est très belle, répondit Sénab. Mais je crois que l'un des coins n'a pas résisté au choc.

— Par tous les dieux qui habitent le désert! jura le surintendant. On m'a demandé une dalle de vingt coudées, pas de dix-neuf! Que l'on enferme les ouvriers! Ils vont payer cher leur maladresse!

Mérou quitta en trombe le chantier. Les gardes pointèrent leur lance vers les hommes et, sans ménagement, les rassemblèrent au pied de la paroi.

Quelques soldats s'étaient attroupés autour des cadavres que l'on avait portés non loin de là. Sénab s'avança et jeta un coup d'œil sur les corps. L'un d'entre eux était horriblement mutilé, et Sénab se dit que ce devait être l'homme qui avait été écrasé contre le traîneau. Seul son bras droit était intact et, à cause de la longue cicatrice, Sénab reconnut l'ouvrier à qui il avait adressé la parole juste avant l'accident. Il ne put réprimer un frisson d'horreur et remercia Ptah de l'avoir gardé en vie.

Il redescendit le long de la rampe de sable, la main posée sur sa blessure, et s'approcha d'Itaou qui gisait, seul, à l'écart. «Il marche déjà dans l'au-delà», pensa-t-il en s'agenouillant près du corps couvert de poussière. Sénab posa l'oreille sur la poitrine du Nubien. Le cœur du garçon battait faiblement. Sénab bondit sur ses pieds et chercha du regard le chef des gardes.

— Celui-ci est blessé, cria-t-il. Fais-le porter dans ma maison. Je veillerai personnellement sur lui.

— Ce Médjaï? s'écria le militaire. Laisse-le donc crever comme un serpent, c'est tout ce qu'il mérite.

— Je suis scribe et l'assistant de Mérou, répliqua fermement Sénab. Je t'ordonne de conduire cet homme chez moi.

Le chef des gardes hésita un instant puis, préférant éviter les ennuis, ordonna à deux de ses hommes de s'emparer du corps du Nubien et de le transporter là où Sénab les conduirait.

 **4.**

Sénab habitait une humble maison de briques crues au bord du canal reliant le fleuve au chantier.

Il était assis par terre, à côté d'Itaou couché sur l'unique grabat posé dans un coin de la chambre. C'était l'heure la plus chaude de la journée. Itaou dormait, le corps luisant de sueur.

Sénab songeait. Il passait et repassait dans sa tête les événements de la matinée. Soudain, comme frappé par la foudre, il se leva d'un bond et sortit.

— Je reviens à l'instant, annonça-t-il au garde qui faisait le guet à la porte de sa maison. Surveille le Médjaï en mon absence!

Quelques instants plus tard, il revenait, les bras chargés de cordages.

— Le Médjaï est revenu à lui, annonça le garde. Il a demandé à boire et je lui ai apporté une cruche d'eau.

— Hathor te le rendra, soldat, murmura Sénab. Va me chercher Mérou! Dis-lui que

51

c'est une question de vie ou de mort! Et s'il refuse, insiste!

Sénab poussa la natte de roseau qui fermait la porte de sa demeure et jeta son lourd fardeau sur le sol. En levant les yeux, il aperçut le jeune Médjaï assis en tailleur sur le grabat. Aussitôt, ce dernier se jeta à plat ventre devant lui.

— Ma vie t'appartient. Itaou te servira jusqu'à la fin de tes jours!

Si les circonstances n'avaient pas été si graves, Sénab aurait éclaté de rire.

— Relève-toi, dit Sénab. Je ne suis pas le Nésou-bity pour que tu te traînes à mes pieds!

— C'est la loi des Hommes du désert, expliqua le Nubien, tremblant de tous ses membres. Sans toi, mon âme voguerait déjà dans l'immensité des sables.

La voix de Mérou, en colère selon son habitude, résonna à l'extérieur.

— Sénab! Sénab! Que se passe-t-il? Quelle idée de me faire sortir par cette chaleur!

— Entre, Mérou, cria Sénab.

Puis il se retourna vers le Nubien:

— J'en aurais fait autant pour n'importe qui! Maintenant relève-toi, nous avons l'air ridicule!

Mérou était entré.

— Vois, lui dit Sénab en indiquant le tas de cordage.

— J'ai déjà vu du câble de papyrus avant aujourd'hui, grogna le surintendant. Celui-ci n'a vraiment rien de particulier.

— Ce sont les câbles qui retenaient la dalle.

Sénab se pencha et saisit un câble qu'il tendit à Mérou.

— Vois toi-même.

Mérou lui arracha le câble de la main et en examina attentivement l'extrémité en fronçant les sourcils.

— Il ne s'est pas brisé, laissa-t-il tomber, stupéfait.

— Non! Quelqu'un l'a coupé! reprit Sénab. Un câble qui lâche sous le poids s'effiloche. Regarde la taille: elle est nette.

— Si mon maître veut m'écouter...

— Qu'est-ce qui lui prend, à ce Médjaï? grogna Mérou, étonné par la présence d'Itaou.

— Depuis que je lui ai sauvé la vie, répondit Sénab, embarrassé, il se croit obligé de me servir en esclave!

— Que mon maître pardonne ma hardiesse, reprit Itaou, mais je sais qui a fait le coup!

— Parle, Itaou! ordonna Sénab. Et laisse tomber le «maître». Je ne suis qu'un scribe. C'est Mérou le chef des travaux.

— Lorsque j'étais cramponné au traîneau pour l'empêcher de glisser, poursuivit le Nubien, j'ai vu un homme cisailler l'un des câbles qui retenaient la pierre rouge...

— Par Bastet*! Que dis-tu? s'écria Mérou.

---

* Déesse chatte, très populaire à l'époque des pyramides.

53

Tu as vu cela et tu n'as rien fait pour l'en empêcher!

— Mais que voulais-tu que je fasse? protesta Itaou, avec cette dalle qui me tombait dessus!

— Peux-tu au moins nous dire de quoi il a
l'air, ton bonhomme?

— Je pourrais facilement le reconnaître,
maître Mérou. Il porte une cicatrice au bras
droit, juste en dessous de l'épaule.

— Ne perdons pas de temps, répliqua le
surintendant. En vitesse aux baraquements! Il
faut retrouver le félon!

Sénab songea au cadavre qu'il avait vu
après l'accident.

— J'ai bien peur que nous n'arrivions trop
tard, Mérou. La main de Maat s'est déjà abat-
tue sur le coupable.

— Que veux-tu dire?

— Cet homme est mort écrasé par la pierre.
J'ai vu son cadavre. Le châtiment de Maat est
terrible!

— Celui que je lui aurais réservé de ma
main aurait été encore bien pire! s'exclama le
surintendant.

— Mérou! commença Sénab avec effusion, je
sais que des rebelles s'attachent à saboter
l'œuvre du dieu vivant. Et je suis convaincu que
ceci est leur œuvre. Aide-moi à les démasquer.

— Allons, allons, Sénab, fit Mérou, un peu
gêné. C'est un accident regrettable, certes,
mais de là à conclure à un complot, tu vas un
peu vite.

— C'est Niousséra qui me l'a dit...

— Niousséra a des idées bien à lui. Ce n'est pas la première fois qu'il nous casse les oreilles avec son histoire de complot. L'an dernier, quand ce fonctionnaire est mort... Encore un accident... Mais un complot? Nous n'avons pas de preuves. J'ai bien peur que le grand-prêtre ne soit un peu toqué!

Sénab regretta de s'être ouvert à Mérou. De toute évidence, c'était un esprit trop obtus pour comprendre la gravité de la situation.

— Comment peux-tu mettre en doute le jugement de Niousséra, le grand-prêtre de Ptah? J'exige que l'on mène immédiatement une enquête... S'il le faut, je vais y veiller personnellement!

— Tu ne veilleras sur rien du tout, car tu retournes dès demain à Mur Blanc.

— Que dis-tu?

— Je viens de recevoir un message du palais. Tu es gracié. Tu repars bientôt pour la capitale. Il paraît qu'on te réclame là-bas. Tu dois être protégé en haut lieu pour t'en tirer à si bon compte, après le crime que tu as commis.

Sénab ne put retenir un cri de joie. Mais, après avoir réfléchi un instant, il se dit qu'il devait d'abord terminer sa mission.

— Je ne peux pas partir tant que cette histoire n'est pas tirée au clair! déclara-t-il à Mérou.

— Je m'en occuperai moi-même. Je mènerai cette enquête, et si ce sont des rebelles qui ont fait le coup, ils seront punis. Pars sans crainte.

Sénab hésita. Il se dit que Nio*usséra aurait probablement voulu qu'il reste, mais il ne pensait plus qu'à sa maison, à son père, à sés frères, qui lui avaient tant manqué, et, surtout, à Néférouret, qu'il pourrait enfin épouser, si elle avait tenu sa promesse.

— Soit, je partirai, finit-il par concéder, mais n'oublie pas que l'honneur du dieu repose sur toi, Mérou! Il faut démasquer les rebelles!

* * *

Le soir tombait. Un calme de mort s'était répandu dans la vallée et même les oiseaux nocturnes n'osaient rompre le silence qui enveloppait le quartier des fonctionnaires de Sounou. Sur une terrasse, une jeune servante aux seins nus versait de la bière au surintendant.

— Tu ne bois pas? demanda Mérou à son invité.

— Je déteste cette boisson trouble et amère, répondit Sénab.

— Ajoutes-y du miel! Elle te caressera le palais avec la douceur d'un frêle tissu de lin...

— Pour que mon esprit devienne tout embrouillé? Non merci!

— C'est un présent de notre dieu bien-aimé! Sans bière pour s'évader de cet enfer, comment pourrions-nous tenir si longtemps?

— Je préfère les mangues, rétorqua Sénab, mordant à belles dents dans un fruit mûr.

Mérou déposa son gobelet sur une petite table aux incrustations d'ivoire.

— En vérité, quand part ton bateau pour Mur Blanc?

— Demain matin, à l'aube.

— Et tu comptes toujours emmener ce jeune rebelle nubien avec toi?

— Il insiste pour m'accompagner. Et pourquoi pas? Je le remettrai entre les mains de Khéby, le chef des gardes d'Akhet-mer. Tu sais combien il est fier de sa milice nubienne; il fera certainement bon accueil à cette nouvelle recrue.

— Tu crois toujours à cette histoire de complot?

— Je ne sais pas...

Sénab était troublé. Il se sentait coupable de préférer revoir les siens plutôt que de rester à la Carrière Rouge jusqu'à ce qu'il ait rassemblé les preuves qu'un complot se tramait contre le Nésou-bity, comme Nioosséra le lui avait demandé. Mais plus il y songeait, plus il trouvait le comportement de Mérou bizarre. Et Nioosséra lui avait bien dit de ne parler de sa mission à personne!

«Balivernes! se dit-il enfin, Mérou est au-dessus de tout soupçon. Et de toute façon, ma décision est prise. Je rentre à la maison.»

 **5.**

Depuis quelques jours, l'eau de Hapy* avait recouvert les terres noires de la vallée. Du pont du bateau qui le ramenait à Mur Blanc, Sénab ne voyait que le grand miroir du Nil qui reflétait le bleu du ciel d'une falaise à l'autre. Les villages, construits en bordure du désert, formaient des îlots isolés, baignés par les flots vivifiants de la crue annuelle. Rê approchait de son horizon vers l'ouest et s'apprêtait à entreprendre son voyage nocturne à travers le monde d'en bas.

Sénab se tenait à l'écart, plongé dans sa rêverie. Il avait eu le temps de se remettre de ses émotions et se demandait pour la millième fois quelle était la cause de son retour précipité. Pourquoi cette soudaine rentrée en grâce, d'autant plus que sa mission s'était soldée par un échec? Allait-il retourner au temple? Deviendrait-il wab? Mais, surtout, quelle fonction occuperait-il au chantier?

---

* Le dieu égyptien du Nil.

Ses pensées se bousculaient dans son esprit avec une telle violence que ses membres même en tremblaient.

— La fièvre t'a envahi, mon maître, dit Itaou, qui ne quittait plus Sénab d'une semelle.

— Combien de fois vais-je devoir te répéter de m'appeler Sénab, comme tout le monde! Je ne suis pas ton maître. Quand tu feras partie de la milice nubienne, tu veilleras sur la personne du Nésou-bity. Ce sera lui ton seul maître.

Itaou prit Sénab par le bras:

— Je ne peux rejeter les coutumes de mon pays. Je te dois le jour, comme un fils le doit à sa mère. Si tu ne veux pas être mon maître, je ne suis rien.

— Tu es Itaou, déclara Sénab, et je veux aussi que tu sois mon ami. Un ami qui soit mon égal. Tu comprends?

— Ta bonté est plus grande que celle du soleil, mais je ne serai ton égal que le jour où j'aurai payé ma dette.

— D'accord, Itaou, d'accord, concéda Sénab. Si tu insistes... Mais fais-moi une faveur, laisse-moi respirer un peu. Tu es toujours à rôder autour de moi pour prévenir mes moindres désirs, et ça commence à m'énerver sérieusement!

*　　*　　*

Quand la flottille en provenance du sud fut en vue de Mur Blanc, les marins du navire de tête firent descendre en grande hâte la voile rectangulaire, encore gonflée de vent.

Sénab tourna son regard vers le plateau où se dressait la Maison d'éternité du dieu et fut frappé par l'avancement des travaux. Durant son année d'absence, plusieurs assises de pierre s'étaient ajoutées à celles qui étaient déjà en place au moment de son départ.

Le navire glissa le long du quai, puis heurta le mur de pierre avec un bruit sourd. Des marins lancèrent les amarres et, bientôt, une passerelle de bois relia le navire au quai. Sénab chercha fébrilement un visage connu dans la foule, mais il ne reconnut personne. Pas même son père.

— Ne laisse pas l'inquiétude te gagner, lui dit Itaou avec une grande douceur. Ton retour a peut-être été gardé secret.

Un homme, qui s'était posté sur le quai bien avant l'arrivée des navires, semblait avoir reconnu Sénab et s'empressa de venir à sa rencontre. Il avait la tête rasée. Le jeune homme reconnut le visage émacié de l'un des prêtres de Ptah.

— C'est Niousséra qui m'envoie, dit-il d'une voix étouffée. Le grand-prêtre m'a chargé de te conduire à ses appartements dès ton arrivée.

— Niousséra! s'écria Sénab, retrouvant son sourire, Ptah est grand! Mon maître a envoyé un messager à ma rencontre.

Parfaitement impassible, le prêtre se tourna vers Itaou.

— Le Médjaï m'accompagne, précisa Sénab.

Le prêtre de Ptah haussa les épaules et, sans dire un mot, s'engagea d'un pas résolu sur la route qui menait directement à Mur Blanc et au Grand Temple de la capitale.

* * *

Les résidences réservées aux prêtres se trouvaient à l'intérieur du périmètre du temple, bordant d'étroites ruelles qui couraient parallèlement aux murs de l'édifice. Celle de Niousséra, appuyée à la maison du dieu, était précédée d'une cour intérieure. Le messager du grand-prêtre avait déjà disparu à l'intérieur de la maison, après avoir fait signe aux visiteurs de l'attendre sous le portique aux colonnes taillées dans des troncs d'arbres.

Quelques instants plus tard, le prêtre réapparut:

— Notre maître va te recevoir, dit-il à Sénab. Le Médjaï restera ici.

— Peux-tu lui donner à boire et à manger? demanda Sénab. Nous n'avons rien avalé depuis le matin.

Le prêtre acquiesça d'un signe de tête. Sénab poussa la tenture, où ondulaient des traits bleus imitant les flots du Nil, puis il s'arrêta sur le seuil.

— Que l'Horus céleste te recouvre de ses ailes, mon fils, fit une voix brisée qui venait du fond de la pièce.

Sénab hésita un instant. Il plissa les yeux et, peu à peu, réussit à distinguer les traits de Nioosséra qui se soulevait péniblement du lit où il était couché.

— Approche-toi, mon fils! J'ai longtemps cru ne jamais te revoir.

— Quel malheur frappe mon maître? s'écria Sénab, se jetant à genoux à côté du grand-prêtre.

— La vieillesse me guette et les chemins de l'au-delà s'ouvrent à moi, murmura Nioosséra, dont la voix trahissait une infinie lassitude. Le service du Nésou-bity épuise mon corps et mon esprit s'est tari après toutes ces années. Bientôt je devrai faire le grand voyage...

— Il ne faut pas parler ainsi, ô grand-prêtre. Tu vivras cent vingt ans, comme les sages!

— En attendant, il m'est devenu impossible de diriger les travaux. Je ne supporte plus la chaleur et la complexité des calculs me pèse de plus en plus. Je ne peux plus être partout à la fois! Mais il y a encore tant à faire! Et le temps presse. C'est pourquoi j'ai encore abusé de la miséricorde de notre dieu, le Nésou-bity, et je suis allé le voir pour le supplier de t'accorder son pardon. Toi seul peut m'aider. Tu dois me seconder. Tu es le seul qui connaisse aussi bien que moi les secrets des chiffres et des mesures, et je sais que je peux placer toute ma confiance en toi.

Le vieillard, dans un ultime effort, posa

les mains sur la tête de Sénab et, d'une voix solennelle, déclara:

— Tu dois te préparer à me remplacer, Sénab. L'œuvre du dieu vivant l'exige!

Un silence lourd de prémonitions envahit la pièce. Sénab ne se sentait pas encore prêt à assumer les responsabilités que lui imposait l'architecte de la per-djet* de Khoufou. Depuis un an, il n'avait pas ouvert un livre.

— Puis-je d'abord me rendre à mon village? s'enquit Sénab.

— Ton père est en bonne santé, déclara Niousséra. Il sera heureux de te revoir.

— Je remercie mon maître pour ses bontés...

— Ne me remercie pas trop vite, coupa le grand-prêtre. Une lourde tâche nous attend. Et ces rebelles qui rôdent comme des chacals...

Sénab songea aux événements de la Carrière Rouge, mais n'osa rien dire pour le moment à Niousséra.

— Sois au temple dès demain matin, avant l'aube! Nous avons tant à faire!

*   *   *

La nuit était tombée quand Sénab sortit de chez Niousséra. Il retrouva Itaou qui l'attendait, accroupi au pied d'une colonne, en train de mordre à belles dents dans un oignon. Le

---

* Maison d'éternité.

Nubien se dressa d'un bond à la vue de son ami. Voyant son air soucieux, il n'osa le questionner et il le suivit sans rien dire.

La nuit était torride, c'était le début de la saison d'Akhet*, la plus chaude de l'année. Un croissant de lune se reflétait sur l'immense nappe d'eau, ainsi que les feux des villages.

Sénab s'arrêta pour contempler la plaine inondée autour de lui. Il raconta à Itaou que l'année précédant celle où il avait commencé à fréquenter l'école du temple, Hapy était entré en une terrible colère; il s'était attaqué à presque tous les villages de la région.

— Les maisons se sont effritées comme des mottes de terre sous les coups répétés des vagues. Il a fallu tout reconstruire. Heureusement que le Nésou-bity veillait. Le dieu bienfaisant a ouvert ses greniers et puisé dans ses réserves le grain dont nous avions besoin pour cultiver nos champs et pour attendre la prochaine récolte.

— L'Horus de Kémyet est un dieu vivifiant! lança Itaou, impressionné par tant de générosité.

Ils reprirent leur route sur le sentier de terre surélevé qui reliait Mur Blanc à la falaise et arrivèrent bientôt à un village.

— Est-ce là? demanda Itaou.

— Ma maison est là-bas, sous les palmiers...

_____

* Première saison de l'année égyptienne, celle de «l'inondation», c'est-à-dire de la crue.

Sénab ne termina pas sa phrase. Sans attendre Itaou, il gravit en courant la douce pente rocheuse. Il avait aperçu la lumière sautillante du feu de nuit, à l'extérieur de sa maison. C'est donc que son père ou ses frères n'étaient pas encore couchés.

— Père! Père! cria Sénab en s'approchant de la modeste demeure où il avait grandi.

Ptahméry était assis près du feu. Sortant de sa torpeur, il se retourna.

— Mon fils! lança-t-il, tremblant de joie. Sénab est de retour! cria-t-il à la ronde! Que tous les dieux soient loués!

Il prit la canne qu'il avait laissée sur le sol près de lui et se leva péniblement. De l'intérieur de la maison surgirent Persen et son épouse Maatka. Puis, peu à peu, tous les gens du village, alertés par l'agitation inhabituelle qui régnait dans la demeure de Ptahméry, se massèrent à la porte.

Ce fut bientôt la fête. Chacun pressait Sénab de questions, cherchant à connaître les détails de son aventure. Le jeune scribe raconta fièrement que Khoufou lui avait accordé sa grâce à la demande du grand-prêtre Nioesséra et qu'il allait maintenant seconder le grand architecte dans sa tâche.

— Après la sécheresse, l'eau de Hapy! s'écria Ptahméry. Khoufou est grand! Persen, apporte de la bière! J'imagine la joie de ta mère qui te voit depuis le pays des morts! dit-il en pressant Sénab sur sa poitrine amaigrie.

— Père! demanda Sénab, puis-je me rendre auprès de Néférouret, ma bien-aimée?

Un nuage de tristesse assombrit tout à coup les yeux du vieillard. Prenant son fils par les épaules, il le tira à l'écart:

— Niousséra ne t'a rien dit? demanda Ptahméry d'un air mystérieux.

— Non! répondit Sénab, le cœur serré. Il est arrivé un malheur à Néférouret? Raconte! Ne me laisse pas dans l'ignorance!

— Il te faudra être très courageux, mon fils.

— Nous a-t-elle quittés... pour retrouver ceux qui vivent dans l'au-delà? demanda le jeune homme, pâle d'inquiétude.

— Des hommes du palais sont passés par les villages, il y a trois ou quatre mois, et ils ont emmené avec eux les plus jolies filles du pays...

Sénab finit lui-même la phrase:

— ... pour la Maison des épouses royales.

Ptahméry poursuivit, les yeux fixés au sol:

— Elle vit au harem du palais, au-delà de Mur Blanc, là où le dieu vivant règne sur tout l'univers.

Sénab n'écoutait plus. Il s'était enfui et courait droit devant lui, sans savoir au juste où il allait. À bout de souffle, il s'arrêta et se laissa tomber sur le sol.

Néférouret avait été choisie par le seul être qui eût pleine autorité sur lui! Jamais il ne pourrait retrouver celle qui habitait son cœur et ses pensées depuis si longtemps! Sénab s'abandonna à ses larmes. Tout à coup, il entendit des pas derrière lui. C'était Itaou, qui l'avait suivi. Le Nubien s'agenouilla près de Sénab:

— Sèche tes larmes et durcis ton cœur, Sénab. J'ai questionné ton père après ton départ et il m'a raconté ton malheur. Nous la sortirons de là, dussé-je y laisser ma vie!

— On ne viole pas ainsi la Maison du dieu, rétorqua Sénab, choqué par la proposition du Médjaï. Toi, tu ne penses qu'à te battre!

— Une fois la femme libérée, nous pourrions fuir dans mon pays. Tu pourras y vivre à ta guise, dans la paix et la sécurité. Ma famille t'accueillera comme un fils.

— Tu sais tout aussi bien que moi que l'on ne passe pas impunément la frontière du sud. Et de toute façon, je dois me soumettre à la volonté du Nésou-bity.

Les paroles de Sénab trahissaient une telle amertume que Itaou devina le désarroi qui s'était emparé de son ami. Respectant son chagrin, le Nubien s'assit à l'écart, mais son expression décidée laissait clairement voir qu'il n'avait pas retenu les arguments de Sénab. Au fond de son cœur, il était bien décidé à ne pas renoncer à son projet de délivrer la fiancée de celui qui lui avait sauvé la vie.

 **6.**

Le temps des semences approchait et, par la volonté de Hapy, l'eau du Nil avait retrouvé son lit. Partout dans la campagne, les paysans remettaient à neuf le réseau d'étroits canaux épousant la forme d'un immense damier. Les nuits étaient déjà plus fraîches, et le limon qui recouvrait les champs laissait présager une abondante récolte.

Sénab en était à sa première tournée d'inspection en tant que bras droit de Niousséra. Il avait étudié les plans d'Akhetmer, pendant plusieurs jours, en compagnie du maître, qui lui avait transmis toute sa science.

Les travaux en étaient déjà à leur neuvième année. La construction du temple de la vallée était presque terminée, mais la prochaine étape serait plus difficile encore. Modifiant le plan original, Niousséra avait décidé d'abandonner la chambre funéraire qui était déjà construite dans le roc sous l'édifice. Il avait imaginé de construire une galerie à

l'intérieur même de la structure, qui conduirait vers la nouvelle salle du sarcophage. Ce
serait une œuvre plus grandiose encore, dont
le plafond serait réalisé à l'aide de neuf
dalles de granit, de la dimension de celle qui
avait failli coûter la vie à Itaou. Jamais architecte, depuis Imhotep*, n'avait osé une telle en-
treprise.

Accompagné d'Ankh, avec qui il avait étudié et qu'il avait promu au rang de premier
secrétaire, Sénab inspectait la carrière de grès
jouxtant le chantier.

— Le nombre de pierres taillées chaque jour
est-il suffisant pour maintenir le rythme de la
construction des assises? s'enquit Sénab d'une
voix autoritaire auprès du chef du chantier. J'ai
constaté que vous avez ralenti le rythme. Qu'est-
ce que cela signifie? Devrai-je prendre des mesures pour corriger la situation?

— J'avoue que nous connaissons quelques
problèmes, expliqua l'homme, qui n'osait regarder Sénab en face. C'est le début des se-
mailles, les paysans sont retournés à leurs
champs et...

— Imy-ra! Imy-ra**!

Sénab se retourna et aperçut un garçon qui
courait à toutes jambes vers lui.

---

* Vizir et architecte de Djoser, second pharaon de la
IIIe dynastie (vers 2660 avant notre ère) et responsable de
la construction de la pyramide à degrés de Saqqarah.

** Mot signifiant surintendant, celui qui est en
charge d'un projet, d'une tâche officielle.

— Khéby... le chef de la garde du chantier... un message... urgent!

Le messager tendit un papyrus plié en deux et scellé de cire rouge, puis s'écroula sur le sol, à bout de souffle.

Sénab gratta la cire de son index.

— Que Ptah me vienne en aide! murmurat-il après avoir lu d'un coup d'œil le contenu de la missive.

— Continue sans moi! cria-t-il à Ankh, qui le vit partir en courant.

*   *   *

En arrivant à l'embarcadère, Sénab aperçut un attroupement devant la barge qui venait d'arriver de Sounou et où reposait une des fameuses dalles de granit tant attendues. Il ralentit sa course afin de reprendre son souffle et rajusta les pans de son pagne afin que sa dignité ne souffre pas devant ses subordonnés.

— Voilà l'homme, déclara Khéby après avoir salué Sénab avec respect. Nous l'avons surpris tout près de l'une des barges.

L'homme en question était un ouvrier aux longs cheveux grisonnants et trempés qui lui collaient aux épaules. Il baissait obstinément la tête.

— Demande-lui pour qui il travaille! ordonna Sénab. Qu'il parle!

— Nous l'avons déjà questionné, déclara Khéby. Il est aussi muet qu'une momie!

— Qu'on lui administre une bastonnade! Sur-le-champ!

Un garde jeta l'homme par terre et se mit à le rouer de coups avec la hampe de sa lance. L'inconnu se tortillait comme un serpent, mais les coups avaient beau pleuvoir, il ne laissait échapper aucune parole.

— Il ne crie même pas! fit Sénab, perplexe.

— J'ai déjà rencontré des hommes têtus, ajouta Khéby, mais celui-là...

— Arrêtez! cria soudain une voix que Sénab connaissait bien.

L'ordre provenait de la rive. Niousséra se tenait debout, soutenu par deux prêtres, dans une barge qui venait juste d'accoster.

— Quelle est cette façon de traiter les ouvriers? demanda-t-il à Sénab.

— C'est un de ces rebelles que nous recherchons depuis si longtemps, expliqua le jeune wab, soudain redevenu humble en présence de son maître. Khéby l'a aperçu en train de couper les cordages qui retiennent les planches du navire. Un peu plus et les précieuses pierres de la carrière de To-Séty auraient coulé au fond du canal.

— Ce n'est pas une raison pour que tu appliques toi-même Maat. La justice relève des juges!

— Mais, rétorqua Sénab en haussant les épaules, je voulais lui faire avouer le nom de ses complices.

Niousséra s'approcha du malheureux. Aidé par les deux prêtres qui l'accompagnaient, il s'accroupit à côté de l'homme qui ne bougeait plus, face contre terre. Le grand prêtre lui prit la tête et la retourna.

— Tu ne vois pas que cet homme est muet!

Sénab se pencha à son tour vers le prisonnier. Le malheureux avait la langue coupée!

— Nos ennemis sont aussi habiles que le crocodile, laissa tomber Niousséra.

— Que fait-on de lui? demanda Khéby.

— Qu'on l'emporte et que l'on soigne ses blessures, commanda Niousséra avec colère. C'est un infortuné.

— Je vais demander immédiatement audience au Nésou-bity, dit-il à Sénab en le prenant à l'écart. Nous tenons enfin notre preuve. Je suis convaincu que les rebelles sont aussi nombreux que les grains de sable du désert. Ils osent venir bafouer la Majesté du dieu vivant ici même à Akhet-mer. Il n'y a plus une minute à perdre; il est temps d'agir!

*   *   *

Khoufou avait choisi, pour construire son palais, un légère élévation quelque peu à l'écart de Mur Blanc, du côté du désert. Il pouvait, de la terrasse, observer le va-et-vient des navires sur le fleuve sans perdre de vue la progression des travaux de construction de sa per-djet.

Une longue allée, bordée de statues de lions couchés, mais qui avaient toutes le visage impassible de Khoufou, menait à la grande porte.

Sénab sentit son cœur se serrer dans sa poitrine. En contemplant les murs du palais, marqués par les ombres fortes créées par les retraits qui rythmaient la façade en maçonnerie, il se dit que c'était là que Néférouret était prisonnière. La verrait-il? Pourrait-il lui parler? Et même si cela était, que lui dirait-il? Elle était maintenant l'épouse du dieu vivant!

De chaque côté de la porte monumentale se tenaient deux gardes nubiens, lance au poing. Sénab crut rêver en reconnaissant Itaou.

— Que fais-tu là? s'écria-t-il joyeusement.

— Khéby m'a affecté à la garde du palais, déclara le jeune Noir, qui semblait bien fier de ses armes neuves. En tant que néférou, on m'a envoyé ici pour terminer ma formation... Il paraît que j'ai besoin d'apprendre la discipline.

Sénab s'esclaffa:

— Notre dieu est vraiment entre bonnes mains!

— Viens, Sénab, ordonna Niousséra en franchissant la porte de l'enceinte. L'on ne fait pas attendre le Seigneur du Double Pays.

Sénab salua son ami du regard et suivit le grand-prêtre. Ils pénétrèrent dans le vaste jardin planté de sycomores et d'arbres fruitiers. Mais les yeux de Sénab étaient aveugles aux merveilles qui l'entouraient. Après avoir revu Itaou, il ne pouvait s'empêcher de songer à la proposition que ce dernier lui avait faite le

74

jour où il avait appris le malheur qui avait frappé Néférouret. Il se disait qu'il était inimaginable qu'il pénètre ici dans le but d'arracher sa bien-aimée à ces lieux sacrés.

De luxuriants dattiers dominaient, sur la droite, un étang couvert de larges feuilles de nénuphars. À gauche, des rangées de grenadiers et de figuiers servaient de refuge à des nuées de pigeons et de passereaux, tandis que des babouins folâtraient entre leurs troncs.

Un homme, vêtu d'un pagne qui lui couvrait les genoux et portant une perruque aux boucles serrées s'avança vers eux.

— Que Ptah t'accorde sa sagesse! déclara l'homme en penchant légèrement la tête devant Niousséra.

— Que l'Ami unique du dieu* pardonne ma hardiesse, s'empressa de répondre le grand-prêtre. Il est urgent que le Nésou-bity reçoive son serviteur et écoute les mots qu'il a à prononcer.

— Khoufou se repose, répliqua l'Ami unique, fronçant ses épais sourcils. Tu peux, sans crainte, te confier à moi. Tu sais quelle oreille attentive le dieu vivant prête à mes paroles.

— Je ne cherche pas à contester la haute estime dans laquelle te tient notre roi, Qar, mais je dois interrompre son repos pour l'entretenir d'une affaire de la plus haute importance.

---

* Titre porté par certains familiers du pharaon.

Qar grimaça mais, sentant qu'il n'aurait pas le dernier mot, il s'inclina devant la volonté du grand-prêtre et fit signe à Niousséra et à Sénab de le suivre.

De l'autre côté de l'étang où les enfants royaux faisaient glisser leurs petits bateaux de papyrus, un dais avait été dressé. Sous la toile de lin tendue entre quatre pieux peints de couleurs vives, un homme était assis dans un fauteuil d'ébène. Sénab reconnut immédiatement le visage jeune et autoritaire du maître du pays. Autour de lui, étendues sur des coussins à même le sol couvert d'une natte, des femmes chantaient et riaient. Sénab n'osait regarder dans leur direction, même s'il en brûlait d'envie. Il aperçut un chat qui s'enfuyait entre les troncs des palmiers.

L'Ami unique s'approcha de Khoufou. Mécontent de cette visite inopportune, ce dernier avait retrouvé son air grave.

— Approchez! ordonna-t-il, l'œil sévère.

Il frappa des mains et les femmes se levèrent. Après avoir salué profondément, elles s'éloignèrent en direction du harem. Comme elles allaient disparaître, Sénab n'y tint plus et leva les yeux vers elles. Son regard rencontra deux yeux finement maquillés de khôl et son cœur fut saisi de vertige.

— Néférouret..., murmura-t-il.

Il fit un pas vers elle. La jeune femme avait déjà rejoint les autres épouses royales et disparaissait à l'intérieur du palais.

Khoufou n'avait rien perdu du manège.

Lorsque Sénab se trouva étendu devant lui, en signe de respect, le roi s'empressa de déclarer:

— De toutes les femmes de Kémyet, la beauté de Néférouret est certes la plus exquise!

Sénab serra les dents, et pensa à l'idée d'Itaou qu'il trouvait de moins en moins mauvaise.

— Que l'on serve de la bière à mes visiteurs! dit alors Khoufou, invitant d'un geste Niousséra et Sénab à prendre place tout près de lui. Discrètement, Qar se retira quelques pas derrière le fauteuil royal et croisa les bras.

— Quelle est cette urgence qui prive ma Majesté de son repos? demanda Khoufou.

— Il est impossible d'en douter: un véritable complot se trame contre ta Majesté. Des rebelles veulent empêcher la construction de la per-djet!

— Encore cette histoire! Des mots! Des mots! Je t'avais chargé de découvrir les coupables, Niousséra, et tu ne m'as rien fourni qui puisse constituer une preuve de félonie à mon égard.

— Nous avons surpris un ouvrier en train de saboter l'une des barges transportant le granit de To-Séty, rétorqua le grand-prêtre.

— Que l'on amène cet homme devant moi!

— Ce n'est qu'un homme de main. Et comme il est muet, nous ne pouvons pas savoir qui se cache derrière ce complot immonde.

— Vois-tu, je te le disais bien, ce ne sont que des mots! Aucune preuve! Tu commences à user ma patience, grand-prêtre. Tu as même envoyé ce petit je-ne-sais-qui aux carrières du sud, et c'est bien en vain que je lui ai accordé ma clémence! Il n'a même pas réussi à rapporter de sa mission ne fût-ce que l'ombre de quelque chose de concret.

Les paroles de Khoufou étaient tombées comme le fouet sur le dos d'un condamné.

— Aussi vrai que Rê vit pour moi*, rétorqua Nioaséra, mon cœur me dit que des puissants cherchent à te nuire!

— Calme-toi, grand-prêtre, et bois de cette bière que t'apporte mon serviteur. J'y ai fait ajouter du sucre de dattes, et je t'assure que tu auras tôt fait d'oublier ces noires pensées qui t'habitent...

Puis Khoufou s'adressa à Qar:

— Ne crois-tu pas que le valeureux serviteur de Ptah a un grand besoin de repos? demanda-t-il sur un ton insinuant.

— Si sa Majesté considère que l'âge avancé du Maître de l'art nuit à son bon jugement, déclara l'autre avec un mauvais sourire, je partage son opinion.

Ce fut Nioséra qui explosa, cette fois. Il était devenu rouge de colère:

— Que le Nésou-bity me pardonne, commença le grand-prêtre en tentant de masquer son émotion, ta Majesté est en danger et la sagesse te commande de prendre immédiatement les mesures qui s'imposent. Fais arrêter tous les hommes du clan de Seth, qui ont tou-

---

* Formule de serment.

jours été les ennemis des rois faucons*. Supprime ce foyer de sédition. Redouble la garnison sur les chantiers. Ordonne des châtiments exemplaires!

Sénab n'en croyait pas ses yeux et ses oreilles. Le grand-prêtre osait tenir tête au dieu vivant. Il se sentait horriblement embarrassé et aurait voulu fuir.

— Tais-toi, vieillard! Le grand âge trouble ton jugement! fit le roi en se levant brusquement.

Ses traits s'étaient durcis et on le sentait habité d'une colère froide.

— À partir d'aujourd'hui, je confie la direction des travaux du chantier à... ce jeune Sénab! Tu m'as si souvent vanté ses qualités et ses connaissances. Quant à toi, grand-prêtre, tu seras comme son ombre et tu placeras ton savoir à son service.

Nioușséra était devenu d'une pâleur effrayante. Sénab était emporté par le tourbillon de ses pensées. Pourquoi son maître était-il si rapidement écarté? Pourquoi, alors qu'il était encore sous la coupe du grand-prêtre, était-il soudainement promu, à sa place, au rang de Maître de l'art?

Sur le chemin de retour, Noussiéra s'appuya plus lourdement que jamais sur le bras de Sénab. Ce dernier ne pouvait s'empêcher de

---

* Un rappel de révoltes ayant eu lieu contre l'autorité centrale près de trois siècles auparavant, sous la seconde dynastie (vers l'an 3000).

ressentir une profonde pitié pour ce vieil homme auquel il était si attaché, et qui se voyait traité de façon si rude par le roi qu'il avait fidèlement servi durant des années.

Le grand-prêtre avait pourtant une toute petite raison de se réjouir: Sénab, celui qu'il avait éduqué comme son propre fils, était devenu l'un des Wènou* du royaume. Grâce à sa jeunesse et à ses connaissances, Sénab allait pouvoir mener à terme ce qui était devenu l'œuvre de sa vie: la construction de la plus imposante pyramide que la terre eût portée!

* «Grand personnage».

 **7.**

— Es-tu certain de bien mesurer les risques que nous allons courir?

— Peu m'importe! J'ai juré de donner ma vie pour toi, si tu me le demandais!

— Tu es même prêt à mourir pour satisfaire les caprices de la Grande Dame du ciel*?

— Nous n'en sommes pas là, Sénab! Je connais parfaitement les lieux. Tu n'auras qu'à me suivre!

Sénab faisait les cent pas dans la salle d'hôte de la maison que lui avait offerte le Nésou-bity après l'avoir nommé Maître de l'art. Construite en bordure du désert, la belle demeure était ceinturée d'un mur qui renfermait également un tout petit étang entouré d'arbres et de fleurs.

Itaou pouvait voir son ami qui se profilait devant une fresque magnifique où le peintre avait représenté Sénab lui-même, debout dans

_____

* Il s'agit de Hathor, la déesse de l'Amour.

une barque, chassant parmi les roseaux. L'artiste avait pris soin de représenter les ramures lourdes d'oiseaux multicolores et les eaux regorgeantes de poissons, d'hippopotames et de crocodiles. L'ensemble coloré était très gai mais remplissait néanmoins Itaou de malaise. Il ne pouvait voir cette peinture sans se rappeler sa capture par Bakâ.

Mais les choses avaient fini par s'arranger pour lui, d'autant plus que, depuis qu'il avait été nommé Maître de l'art, Sénab avait demandé qu'il soit affecté à sa garde personnelle. Les deux garçons étaient donc redevenus inséparables.

— Dès que Rê aura touché l'Occident, nous partirons. As-tu pris soin de prévenir la servante dont tu m'as parlé?

— Méryet est dans le secret, assura Itaou.

— Tu m'as vanté cent fois les charmes de ta petite amie, mais es-tu certain que l'on peut lui faire confiance?

— Elle connaît les tourments de l'amour. Elle en souffre aussi lorsqu'elle est trop longtemps loin de moi. Ça n'a pas été difficile de la convaincre de nous venir en aide à sa manière.

— Encore quelques heures, Itaou! et je serai auprès de ma bien-aimée. Je n'en peux plus d'attendre ce moment.

— Dès qu'il fera nuit, Méryet nous retrouvera à une petite porte dérobée. C'est là que nous avons nos rendez-vous habituels. Puis elle te conduira auprès de Néférouret. Nous ne risquons rien si nous sommes découverts ensemble, Méryet et moi; tout le monde est au courant de nos rencontres nocturnes.

*   *   *

Sénab et Itaou marchaient en silence à travers les champs où mûrissaient les épis. La lune inondait la vallée de sa lumière blafarde, et les paysans qui auraient aperçu les deux garçons les auraient pris pour des visiteurs de l'au-delà. Le Nubien s'arrêta soudain; quelques pas seulement les séparaient de l'enceinte du palais de Khoufou.

— Tu as changé d'idée? lui demanda Sénab, presque soulagé de l'apparente hésitation de son ami.

— Non!... Non! balbutia Itaou. Mais je nous voyais tout à coup à Sounou, écrasés par les rayons du soleil et tirant de gros blocs de granit rouge...

— Si nous sommes pris, corrigea Sénab, c'est plutôt le bourreau qui nous coupera le nez et les oreilles.

Itaou haussa les épaules et, en trois bonds, atteignit le premier le mur de brique. Sénab dut patienter quelques instants — des gardes passaient sur le sentier de ronde — puis il rejoignit son ami.

— Frappe deux coups, dit Itaou. C'est le signal convenu avec Méryet.

Sénab s'exécuta. Le silence lui semblait plus lourd à porter que la chaleur du soleil en plein jour. La porte de bois s'entrouvrit dans un léger grincement:

— Itaou? appela une voix apeurée.

— C'est moi! Je suis avec Sénab.

Sans perdre un instant, les deux compagnons se glissèrent à l'intérieur de l'enceinte, tels les serpents agiles qui pénètrent dans les maisons la nuit venue.

Ils se retrouvèrent dans le jardin où Sénab et Niousséra avaient été reçus par le Nésoubity.

— Les gardes viennent de passer, dit Méryet, qui ne portait qu'un léger vêtement de nuit. Suivez-moi!

Itaou fermait la marche, à l'affût de tout signe suspect. Après avoir traversé une dense plantation de palmiers dattiers, les trois jeunes gens se blottirent à l'ombre d'un petit sanctuaire de bois où les habitants du palais venaient adorer Ptah.

— Quand Itaou m'a raconté ton histoire, chuchota Méryet à l'oreille de Sénab, j'ai été si touchée que j'ai tout de suite été d'accord avec votre plan. Le harem royal est droit devant. La chambre de Néférouret est la dernière au bout du corridor. Nous t'attendrons ici, jusqu'au petit matin. Que Sekhmet te protège!

— Sois prudent, Sénab! enchaîna Itaou. Et n'oublie pas: sois de retour aux premiers cris des babouins!

*   *   *

Néférouret avait allumé la lampe pour attendre Sénab. Depuis quelque temps, elle savait par Méryet que l'homme qu'elle aimait avait imaginé un stratagème pour venir la voir au harem. On parlait beaucoup de lui au palais, et Néférouret était toujours avide de connaître les dernières nouvelles à son sujet. Elle se gardait bien de révéler son secret aux autres dames de la cour, mais songeait souvent à son bien-aimé et se réjouissait en son for intérieur chaque fois que sa carrière prenait un tour heureux.

Ce soir-là, elle avait apporté un soin particulier à sa toilette. Elle n'était qu'épouse en titre, mais elle haïssait néanmoins Khoufou pour l'avoir séparée de Sénab. Seule la mort du Nésou-bity aurait pu la libérer; mais chaque fois que cette idée effleurait l'esprit de Néférouret, elle s'empressait de la chasser.

Soudain, le rideau qui fermait l'entrée de sa chambre s'agita et elle aperçut Sénab, qui se tenait là, devant elle. Elle sauta dans ses bras, et l'enlaça un long moment. Ils se dirent leur amour à demi-mots chuchotés à l'oreille. Il fallait être prudent pour ne pas réveiller les soupçons des autres épouses royales et de la reine favorite, qui était chargée des affaires du harem et qui était intraitable pour tout ce qui touchait à la discipline.

Ils s'étendirent sur la riche couche de l'épouse royale. Sénab ferma les yeux et se laissa envahir par les vapeurs du capiteux parfum d'oliban que le dieu vivant offrait aux dames de la cour. La flamme de la lampe dessinait des formes mystérieuses qui semblaient danser de joie sur les murs de la chambre.

* * *

Sénab s'était endormi. Il fut réveillé en sursaut par des cris qui retentissaient à travers tout le palais. Il se redressa sur le lit et, se rappelant où il était, fut saisi de panique.

— Quelle heure est-il? demanda-t-il à Néférouret. Je me suis endormi.

— Je ne sais pas, mais il ne fait pas encore jour.

Des gardes couraient en tout sens devant la porte de la chambre, et comme la lampe s'était éteinte, le rideau de lin s'illuminait chaque fois que quelqu'un passait devant avec un flambeau. Les cris devenaient assourdissants:

— Sacrilège! Sacrilège! On a forcé la porte des lieux interdits! Sacrilège!

— Ça y est, on nous a découverts! s'écria Sénab.

Il se leva d'un bond et saisit la dague de bronze qu'il avait emmenée avec lui et laissée à côté du lit. Tel un guépard fixant sa proie, il ne lâchait pas des yeux l'entrée de la chambre.

Néférouret s'était levée à son tour et l'aida à enfiler son long pagne.

Dehors, le tapage continuait.

— Que l'on prévienne le dieu vivant! Des

impies ont souillé le seuil sacré! Il faut qu'ils soient punis!

Les autres épouses royales étaient sorties de leurs chambres et mêlaient leurs cris à ceux des soldats et des serviteurs.

Sénab s'était approché de l'entrée pour mieux se rendre compte de ce qui se passait lorsque le rideau s'ouvrit brusquement. Une main saisit son bras. Il ne put retenir un cri d'effroi.

— Tais-toi, idiot, c'est moi, Itaou.

— Comment ont-ils deviné que j'étais là?

— Je n'en sais rien. Je ne comprends pas! Pourtant, personne ne nous a importunés, Méryet et moi.

— Nous sommes faits!

— Allez, courage! Ils ne nous ont pas encore attrapés. Il faut profiter de toute cette agitation pour nous enfuir; c'est notre seule chance. Viens!

Sénab et Itaou se faufilèrent parmi les gardes qui couraient en tout sens, en proie à une indescriptible effervescence. Ils furent bousculés à plusieurs reprises mais, au grand étonnement de Sénab, personne ne les arrêta. Bientôt, ils retrouvèrent Méryet à la porte du harem.

— La Grande Dame du ciel est avec nous, soupira la jeune femme. Ils ne vous ont pas trouvés. Dépêchons-nous!

Guidés par Méryet, les garçons traversèrent le jardin du palais et atteignirent finalement la petite porte par où ils étaient entrés.

À sa grande surprise, Sénab se retrouva sain et sauf à l'extérieur du palais. Personne ne lui avait même posé une seule question!

Néanmoins, sans regarder derrière lui, il prit ses jambes à son cou et disparut à travers les champs, poursuivi par le halètement d'Itaou qui courait sur ses talons.

*   *   *

— D'où viens-tu comme ça, à bout de souffle? Tes serviteurs t'ont cherché partout!

Niousséra se tenait au beau milieu de la salle d'hôte de la maison de Sénab.

Sénab le trouva encore plus voûté que d'habitude. La peau parcheminée du vieillard avait pris une teinte plombée et son regard trahissait une grande tristesse. Il portait sous le bras un coffre de bois oblong.

— J'ai marché... la lune était belle...

— Laisse tomber la poésie, Sénab. L'heure est grave. La Maison d'éternité de Hotep-hérès, la mère de Khoufou, a été violée par d'ignobles impies.

— A-t-on capturé les coupables? demanda aussitôt Sénab, dont la tête tournait un peu.

— Non! Mais je suis certain que ce sont les mêmes rebelles qui se sont attaqués à la per-djet du dieu.

— Bien sûr, bien sûr... mais encore une fois nous n'avons pas de preuves, objecta Sénab. Quand cela s'est-il passé?

— Nul ne le sait. Un soldat de la garde de

Khai-mer* est venu me réveiller au temple pour me dire que l'entrée de la tombe avait été forcée. J'ai immédiatement envoyé un messager au palais pour y annoncer l'horrible nouvelle.

Sénab comprit pourquoi ils avaient réussi à s'échapper si facilement du harem royal. Ce n'était pas sa présence qui avait causé tout cet émoi, mais la nouvelle du saccage de la tombe de la Mère du dieu**.

— Nous partons sur l'heure pour la tombe de la reine, Juste de voix. Le Nésou-bity a mis une barque à notre disposition. Khoufou veut que nous lui fassions rapport sur l'étendue des dégâts subis par la sépulture de sa mère. Voici, d'ailleurs, les plans de la tombe.

Niousséra indiqua le coffret qu'il portait sous le bras.

— Suis-moi, lui dit Sénab.

Ils se dirigèrent vers une pièce en retrait où Sénab gardait ses précieux papyrus. Un serviteur les précédait, portant une lampe taillée dans l'albâtre cristallin, qu'il déposa sur l'unique bureau.

Niousséra brisa le sceau du coffret et, sous le regard attentif de Sénab, en tira un papyrus un peu jauni.

— Vois, la tombe, creusée dans le roc, comprend un puits profond, à quelque trois cents

---

* L'actuelle Daschour, où se trouvent deux pyramides appartenant à Snéfrou, père de Khoufou.

** Titre porté par la reine mère.

89

coudées de la per-djet de Snéfrou. Il donne accès à deux chambres, l'une pour recevoir le corps de la reine, l'autre le matériel funéraire.

Le vieillard suivait de son doigt sec les contours du dessin à l'encre noire. La liste des meubles accompagnant la reine dans sa vie dans l'au-delà avait été écrite en rouge.

— Viens, une pénible tâche nous attend!

— Il fait encore nuit, grand-prêtre. Ne vaudrait-il pas mieux en profiter pour prendre un peu de repos?

— C'est hors de question! Ma barque nous attend. Je veux être à Khaï-mer quand Rê quittera la demeure des dieux!

Sénab se retourna vers Itaou:

— Va chercher Ankh! Nous partons!

8.

Une foule nombreuse s'était assemblée au pied de la Maison d'éternité de Snéfrou qui dominait le plateau de sa masse blanche. À l'annonce de l'arrivée des serviteurs de Ptah, un homme s'avança à leur rencontre.

Sénab reconnut immédiatement Qar à son air faux et cauteleux. Niousséra grimaça en apercevant celui qui personnifiait à ses yeux le courtisan dans toute son horreur. Masquant à peine son dédain, le vieillard lui adressa néanmoins la parole.

— Qar! Tu es déjà là! Khoufou, notre seigneur et maître, t'aurait-il demandé de venir nous aider dans notre enquête?

— Oui, heu... c'est-à-dire... je laisse ce travail aux prêtres de Ptah; leur sagesse est bien plus grande que la mienne. Mais le dieu vivant m'a demandé de venir en personne pour lui faire rapport sur les tristes événements qui ont troublé le repos éternel d'Hotep-hérès, Juste de voix.

— Ah! soupira le grand-prêtre. Je craignais un contre-ordre de la Cour au sujet de l'enquête...

— Pas du tout! Mais voyez, on m'a rapporté ce bracelet d'or... On dit qu'il a été retrouvé non loin d'ici, sur la route qui mène à Mur Blanc.

— Plus tard! répondit sèchement Sénab. Je vais d'abord descendre dans le puits pour me rendre compte des dégâts. Itaou, tu m'accompagnes!

Sénab s'approcha de la stèle de grès qui marquait l'entrée du puits et où le nom de la reine était inscrit en relief avec les signes sacrés.

— Éloignez tous ces curieux, ordonna-t-il à un officier qui discutait vivement avec ses hommes.

Sénab remonta les pans de son long pagne et les attacha à sa ceinture. Il se laissa ensuite glisser dans l'étroite ouverture, ses pieds cherchant les marches creusées à même la paroi.

À quelques coudées du fond, le Maître de l'art regarda derrière lui et aperçut un fouillis d'objets sur le sol. Il posa pied au fond avec précautions et avança un peu pour laisser place à Itaou.

— Une lampe! cria-t-il.

Une corde fut bientôt descendue, au bout de laquelle était attaché un plateau de bois portant une lampe d'argile en forme de poisson plat. Itaou la saisit et la remit à Sénab.

Ils avancèrent le long du couloir donnant accès à la première chambre, taillée dans le roc, aux mêmes dimensions que celle où la reine avait dormi de son vivant. Des coffres éventrés, des monceaux de tissus en désordre, des vases renversés, des meubles brisés gisaient sur le sol. Sénab approcha la lampe et constata que l'on avait gratté le revêtement d'or du mobilier.

— Quel fouillis! s'écria Itaou, qui avait les yeux tout grands. Regarde! Qu'est-ce que c'est? fit-il en indiquant un vase canope à l'effigie de la défunte et couvert de hiéroglyphes peints à l'encre noire.

— Les viscères de la reine*!

Sénab s'empara du vase d'une main tremblante. Tenant son précieux chargement, il revint au fond du puits. Il plaça le coffre sur la tablette de bois et tira sur la corde. Lentement, le plateau s'éleva au-dessus d'eux.

— Allons voir dans la deuxième chambre! C'est là que se trouve la reine!

Cette deuxième chambre était plus vaste encore que la première. En son centre trônait un immense sarcophage, taillé dans un seul bloc d'albâtre clair. Précédé par la faible lumière de la lampe, Sénab s'approcha à petits pas. Son cœur se serra lorsqu'il constata que le couvercle du tombeau sacré avait été brisé.

Les pillards en avaient même jeté la partie supérieure par terre et avaient arraché des morceaux de la précieuse pierre cristalline,

---

* Le corps et les viscères étaient momifiés séparément.

93

réservée au seul Nésou-bity. Il avança la lampe au-dessus du sarcophage et jeta un regard à l'intérieur. Ses genoux se mirent à trembler. Il ne put retenir un cri d'horreur qui retentit à travers les chambres. Le corps de la reine avait disparu!

— Comment la reine vivra-t-elle son éternité? demanda-t-il à Itaou. C'est horrible! C'est horrible!

Il se laissa glisser au pied du sarcophage.

Itaou contemplait à son tour le vide au centre de la grande pierre creuse.

— Les voleurs ont voulu s'emparer des amulettes d'or et d'argent placées sous les bandelettes de sa momie, commenta-t-il. On ne la retrouvera probablement jamais.

— La colère de Khoufou va être terrible. Tu sais quelle importance il attache aux rites! Il ne se résignera pas à ce que l'immortalité de sa mère soit compromise. Surtout après tout le mal qu'il se donne pour assurer la sienne!

— Oui! Je sais ce que c'est quand il est contrarié. Je sens qu'on va passer un mauvais quart d'heure au palais!

— Je n'aurai jamais le courage de lui dire... Il va me faire jeter aux crocodiles!

— Et si on ne lui disait pas?

— Tu es fou? Comment lui cacher l'horrible vérité?

— Nous allons tout simplement refermer le sarcophage.

Sénab considéra Itaou avec incrédulité, puis regarda le lourd morceau d'albâtre que les malfaiteurs avaient appuyé contre la base du sarcophage.

— Tu ne pourras jamais soulever cette pierre!

— Tu me sous-estimes! s'écria Itaou avec fierté. J'ai toujours été le plus fort de ma tribu. Et je me suis exercé à lever de lourdes pierres depuis que je suis tout petit, histoire d'épater mes amis. Je me suis même fait toute une réputation pour cela.

— Essayons pour voir! déclara Sénab. Je vais t'aider.

Les deux garçons s'accroupirent et accrochèrent leurs doigts à l'arête de la lourde pierre.

— Allez! Oh! hisse! cria Sénab.

Les muscles d'Itaou se contractèrent, ses yeux se révulsèrent. La pierre se souleva doucement, comme par magie.

Sénab n'en croyait pas ses yeux. Sentant que ses propres efforts étaient inutiles, il laissa Itaou venir seul à bout de cette incroyable tâche.

— Allez, Itaou, tu y es presque!

Le Nubien finit par déposer le morceau de pierre sur le sarcophage. Il ne restait plus qu'à le remettre parfaitement en place pour que personne ne s'aperçoive du subterfuge, tâche qu'accomplirent les deux garçons sans trop de difficulté.

— Avant de sortir d'ici, nous devons jurer de garder le secret éternel sur ce qui vient de se passer!

— Je le jure, Sénab, par tous les dieux de Kémyet! Et que Wadjet et Nekhbet me foudroient de leur regard si je brise ce serment*!

Ils sortirent en hâte de la seconde chambre puis Sénab éteignit la lampe. Il s'agrippa au câble et tira un grand coup. Les soldats le hissèrent à la surface.

— Et alors? demanda Niousséra, inquiet.

Sénab était assis sur le sol près de l'entrée du puits tandis que les soldats peinaient pour remonter Itaou. Il ne répondit pas.

— Le corps de notre reine est-il intact? questionna le grand-prêtre.

— Oui... il est intact..., répondit enfin le jeune Maître de l'art, qui n'osait pas regarder Niousséra dans les yeux.

— Qu'Osiris et Anubis soient loués**! Ils ont protégé le corps d'Hotep-hérès, Juste de voix.

— Voilà le bracelet dont je voulais te parler!

Qar était apparu par-dessus l'épaule de Sénab et lui tendait un objet doré.

— Vois ces magnifiques incrustations en forme de papillons. Il a dû appartenir à notre reine.

Sénab s'empara du bijou. Sans savoir trop pourquoi, il se sentait de plus en plus mal à

---

* Wadjet (déesse cobra) et Nekhbet (déesse vautour): déesses protectrices du Nésou-bity et qui forment l'uræus royal.

** Principales divinités de l'au-delà.

l'aise devant l'Ami unique qui, de son œil rusé, semblait toujours voir à travers lui.

— Où l'as-tu trouvé?

— À quelques pas d'ici... Il est surprenant que de simples voleurs aient laissé échapper une si belle pièce.

— Que veux-tu dire?

— Peut-être n'était-ce pas de simples voleurs...

— Parle! Que sais-tu à ce sujet?

— Oh! Je ne sais rien! C'était seulement une remarque, comme ça. Mais cela ne me regarde pas. Je laisse ce travail aux prêtres de Ptah!

Sénab eut un regard mauvais.

— Laisse-moi ce bracelet. Il va falloir faire l'inventaire des objets qui restent dans la per-djet.

— Je m'en occupe, dit Niousséra. J'en ai l'habitude. Ce n'est, hélas, pas la première fois qu'une Maison d'éternité est saccagée par des hommes sans foi ni loi. Rends-toi auprès du dieu vivant, au palais, et dis-lui ce que tu as vu. Il sera soulagé d'apprendre que la Mère du dieu vit son éternité sans être troublée. Va, mon fils!

*   *   *

Le Nésou-bity, coiffé de la couronne rouge et blanche, était assis sur un large trône noir sculpté dans un bloc de diorite. Autour de lui, les grands personnages du royaume, portant la courte perruque et un long pagne remontant jusque sous les aisselles attendaient, impassibles.

Les courtisans et les courtisanes, richement parés et parfumés, habituellement si animés, se taisaient en ce jour de malheur et semblaient partager les soucis de Khoufou. Certains se mirent néanmoins à chuchoter entre eux en voyant Sénab pénétrer dans la salle du trône. Tous les regards étaient posés sur lui. C'était la première fois qu'il était reçu officiellement à la cour. Tous s'étonnaient de la jeunesse du nouveau Maître de l'art du temple de Ptah.

Le jeune homme avançait, hésitant, guidé par l'un des princes royaux. Hémyounou, le grand vizir, frappa le sol de son bâton. Sénab s'arrêta. Il s'apprêtait, selon la coutume, à s'étendre sur le sol devant l'auguste personne royale, lorsque Khoufou s'adressa directement à lui:

— Viens près de moi, Sénab, et baise mes pieds!

Hémyounou, qui se tenait à la droite du Nésou-bity, selon le protocole, pâlit. Rien ne lui déplaisait plus que de voir Khoufou accorder sa faveur à un nouveau venu. Les chuchotements redoublèrent dans la salle.

Le cœur de Sénab bondit dans sa poitrine. Il savait combien rare était ce privilège que lui accordait le dieu vivant. Non loin de là, parmi le groupe des épouses du roi, Néférouret observait la scène, le sourire aux lèvres.

— Relève-toi! ordonna Khoufou d'une voix sombre, et dis-moi ce que tu as vu!

Sénab respira profondément. Il décrivit le mobilier brisé, le saccage des coffrets à bijoux, les viscères retrouvés. Khoufou, dévoré par le chagrin, écoutait sans sourciller.

— Et le sarcophage? demanda le Nésoubity avec hésitation.

— Les rebelles en ont brisé le couvercle, mais la Mère du dieu n'a pas été troublée dans son éternité, déclara Sénab avec aplomb.

Un large sourire couvrit le visage de Khoufou. Des cris de réjouissance se répercutèrent sur les murs richement décorés de la salle du trône.

— Je veux que l'on creuse une nouvelle fosse pour Hotep-hérès, ordonna-t-il en s'adressant au vizir. Elle sera près de ma propre per-djet. Ainsi, je ne craindrai pas que l'on menace son repos éternel une seconde fois.

— Qui chargeras-tu de sa construction? s'enquit Hémyounou.

Khoufou, sans hésiter, désigna Sénab.

— Lui! C'est un jeune homme plein de talent et qui a toute ma confiance. Le corps de ma mère sera en bonnes mains.

Le vizir prit de nouveau la parole:

— Désormais, Sénab, fils de Ptahméry, wab de Ptah et Maître de l'art, portera le titre et agira dans la fonction de «Surintendant et architecte des travaux de la Maison d'éternité de Hotep-hérès, Juste de voix!» Ainsi l'ordonne le Nésou-bity, Khoufou, seigneur des Deux Terres.

Il frappa de nouveau le sol de son bâton tandis qu'un scribe, assis par terre derrière le trône royal, notait consciencieusement sur un papyrus la déclaration solennelle du vizir.

 **9.**

Bien calé dans un fauteuil au coussin pourpre, protégé du soleil par une toile tendue au-dessus de sa tête, Sénab achevait, à l'attention du vizir Hémyounou, la rédaction d'un rapport sur l'avancement des travaux d'Akhet-mer. Après deux semaines de dur labeur, la rampe de brique et de sable qui servait à monter les pierres avait été allongée vers l'ouest, et près de trois cents blocs de grès attendaient que les ouvriers les glissent vers les hauteurs de la tombe royale.

Entre-temps, Sénab avait entrepris le nivellement du terrain pour construire l'avenue couverte qui relierait le temple de la vallée au sanctuaire qui jouxtait l'énorme pyramide, mais il prévoyait encore plusieurs mois de travail.

Il terminait en relatant comment il avait utilisé des ouvriers du chantier pour creuser un nouveau tombeau pour la reine Hotep-hérès, au sud de la pyramide. Il insista sur le fait que la construction en était terminée à temps

101

pour la cérémonie de la mise au tombeau qui devait avoir lieu le jour même.

Satisfait de son rapport, Sénab posa son calame.

— Ankh! cria-t-il, levant la tête vers son ancien collègue. Prends le plan de la nouvelle tombe de la reine et suis-moi.

Vif comme le scorpion, Ankh fouilla dans le coffret de bois qu'il transportait tous les matins sur le chantier. Il en sortit une feuille de papyrus qu'il tendit à son maître.

Sénab franchit les quelques pas qui séparaient sa table de travail du puits de la reine.

— Tu as les mesures justes que je t'ai demandées? s'enquit Sénab au chef d'équipe qui était penché au-dessus du puits

— Les voici! fit l'homme.

Il remit à Sénab une pierre plate où figuraient les dimensions exactes de la nouvelle tombe.

— Le puits fait-il cinquante-six coudées? demanda Sénab.

— Cinquante-huit! Et bien comptées! rétorqua fièrement le chef des ouvriers.

— Tes chiffres sont mal formés, lui reprocha Sénab. Tu écrases trop ton calame quand tu traces les signes sacrés. Fais mieux la prochaine fois!

L'homme ravala sa salive.

— Descends dans le puits, Ankh, nous allons vérifier si tout y est.

Ankh disparut dans l'étroite ouverture.

— Je suis prêt, maître, cria-t-il dès qu'il eut touché le fond.

— Je commence.

Sénab se mit à lire d'une voix forte:

— Un baldaquin de bois recouvert d'or, deux fauteuils concordants, un panneau d'or incrusté de fleurs bleues et noires.

— Ça va! répondit Ankh après un instant.

— Une aiguière en cuivre, trois vases d'or, des rasoirs et des couteaux du même métal...

— Ça va!

— Un instrument pointu pour nettoyer les ongles et repousser les cuticules, un nécessaire de toilette contenant huit petits vases d'albâtre remplis d'onguent et de khôl...

— Ça va!

— Un coffret à bijoux contenant vingt bracelets d'argent incrustés de libellules et un bracelet d'or incrusté de papillons en malachite, lapis-lazuli et cornaline...

L'énumération se poursuivit longtemps de la sorte. Ankh était à peine remonté du puits quand il indiqua à Sénab un cortège qui s'avançait de la vallée.

— Maître, les wabou de Ptah et les porteurs d'offrandes!

Sénab vint à leur rencontre.

— Niousséra ne vous accompagne pas? demanda le jeune homme à l'un des prêtres lecteurs, surpris de ne pas retrouver le grand-prêtre à leur tête.

— Notre premier Prophète a préféré se retirer dans ses appartements pour reposer son corps et son esprit. C'est Khoui, le second Prophète, qui accomplira les rites à sa place.

Sénab regretta que le grand-prêtre ne soit pas là pour se rendre compte de l'excellente façon dont il avait mené sa tâche.

Il suivit le cortège jusqu'au puits de Hotephérès. Un autel avait été érigé à l'entrée du caveau, sur lequel s'entassaient des miches de pain sans levain, des pots de bière, des oignons, des oies séchées, des grenades et de nombreuses grappes de raisins. Le tout était recouvert de fleurs de papyrus, signes de jeunesse éternelle. Près de l'autel, une petite table d'ébène avait été placée pour recevoir une aiguière d'argent à la panse arrondie, pourvue d'un long bec légèrement recourbé, remplie d'eau du Nil, ainsi que deux gobelets en argent.

Quand Rê eut atteint l'apogée de sa course, Khoufou, accompagné des membres de sa famille, arriva de la vallée. Vêtu d'un pagne court, en signe de deuil, il précédait le sarcophage de la reine mère, qui avait été déposé sur un traîneau aux patins recouverts de feuilles d'or; douze hommes, choisis parmi les nobles du palais, le tiraient avec précaution.

Quand le cortège s'arrêta devant l'autel, Khoui leva bien haut l'aiguière d'argent que lui avait présenté l'un des serviteurs du temple.

Un silence respectueux planait sur la falaise. Hotep-hérès, la Mère du dieu, regagnait sa Maison d'éternité et l'émotion était grande

parmi tous ceux qui étaient présents à la cérémonie. En voyant passer le sarcophage, Sénab
eut un léger pincement au cœur. Seuls Itaou et
lui savaient que les voleurs, en emportant la
momie de la reine, lui avaient fait connaître
sa deuxième mort*.

«Heureusement que le nom de la reine,
inscrit sur ses objets, peut lui redonner vie
dans l'au-delà», pensa le jeune homme.

Le second Prophète versa l'eau vivifiante
du Nil sur les offrandes. Un prêtre lecteur dé-
roula son papyrus, porteur des paroles sacrées.
D'une voix monocorde, scandant chaque syl-
labe, il se mit à chanter:

Ô Rê! Hotep-hérès vient à toi.
Son esprit est indestructible.
Accorde-lui un siège dans le ciel,
Parmi les étoiles.
Le ciel crie et la terre tremble,
Par crainte de toi, ô Osiris,
Lorsque tu apparais.
Puisses-tu veiller sur le Ka** de la
reine.
Éternellement.

Un oiseau lança son cri. Sénab leva la tête
et aperçut, planant au-dessus de la foule, le

* Détruire le corps du défunt, c'était, pour les anciens
Égyptiens, le priver de son identité.
** L'équivalent, approximatif, de l'âme.

105

faucon divin, celui qui accompagne le soleil dans sa course journalière. Rê avait entendu les paroles du prêtre lecteur et l'Horus était venu recueillir le Ka de Hotep-hérès.

«Le corps de la reine est intact, soupira le jeune homme. Les voleurs ne l'ont pas détruit, car Horus a répondu à l'appel des hommes.»

Sénab pensa à la joie de Niousséra quand il le lui raconterait.

Le second Prophète pencha l'aiguière et versa l'eau du rituel dans les deux gobelets d'argent. Le premier lui était destiné, le second était réservé au dieu vivant. En buvant l'eau sacrée, au nom de Hotep-hérès, le prêtre assurait à celle-ci de ne jamais avoir soif de l'eau de la vie que Hapy faisait couler dans la vallée depuis les «Âges immémoriaux*».

Un serviteur remit un gobelet à Khoufou tandis que Khoui portait le sien à ses lèvres. À peine eut-il avalé la première gorgée du liquide sacré qu'il poussa un long râle. Le visage du serviteur de Ptah se tordit de douleur. En proie à un violent tremblement, il se mit à vomir une épaisse écume blanchâtre en balbutiant des mots inintelligibles. Il leva une main crispée vers le ciel, puis s'écroula sur le sol.

Aussitôt, Khoufou lança son gobelet avec force. Des prêtres se jetèrent par terre, implorant la miséricorde d'Osiris. Sénab se précipi-

---

* Expression signifiant les premiers âges de l'histoire du monde.

ta vers le malheureux second Prophète, le retourna afin de voir son visage. L'homme ne respirait plus et ses paupières, grandes ouvertes, découvraient ses yeux révulsés. Sénab recula d'effroi.

— Il est mort, assassiné, cria-t-il à pleins poumons. Que personne ne bouge!

— Ce sont les prêtres de Ptah qui ont commis le crime, hurla Hémyounou. Qu'on les arrête sur-le-champ!

— Les prêtres de Ptah, c'est impossible! rétorqua Sénab.

— Eux seuls avaient accès à l'eau sacrée, qu'on les arrête!

Sénab ne trouva pas les mots pour répliquer au vizir. Plus il y réfléchissait, plus il devait convenir en son for intérieur qu'il s'agissait là d'un argument irréfutable.

— Tu as raison, grand vizir, finit-il par concéder. Il faut qu'un des nôtres soit coupable...

Khoufou leva son sceptre:

— Que le chef des gardes s'empare de ces serviteurs rebelles et les conduise à la prison du palais!

Tandis que les ouvriers s'affairaient, à l'aide d'une large dalle de pierre, à fermer en vitesse la tombe de la reine, les soldats qui accompagnaient le cortège royal avaient encerclé les prêtres de Ptah. Ceux-ci étaient en proie à une incontrôlable terreur.

— Sénab, sauve-nous! cria l'un. Nous sommes innocents de la mort du second Prophète. Jamais nous n'aurions voulu porter atteinte à la vie de notre dieu.

— Je n'y puis rien, répliqua amèrement Sénab. L'un d'entre vous est certainement coupable. Et il paiera de sa vie son ignoble forfait!

* * *

Sénab trouva Niousséra, sommeillant sur une natte de roseau dans le jardin du temple, à l'ombre des sycomores.

— Grand-prêtre, dit-il, tout doucement pour ne pas apeurer Niousséra.

Ce dernier poussa un léger soupir et ouvrit péniblement les paupières.

— Sénab! fit-il d'une voix lasse, pourquoi ne laisses-tu pas un vieillard fatigué à son repos?

— J'ai bien peur que ton repos ne soit terminé, déclara Sénab.

— Encore un malheur au chantier? demanda Niousséra, s'appuyant sur son coude.

— Pire que ça!

Niousséra se releva complètement.

— Khoui, le second Prophète, est mort. Empoisonné.

— En buvant l'eau sacrée? demanda Niousséra.

Sénab acquiesça de la tête.

— Et Khoufou?

— Il n'a pas eu le temps de tremper ses lèvres dans le liquide mortel.

— Nos ennemis approchent de leur but,

conclut le grand-prêtre. Il est clair que ce poison m'était destiné. Maintenant, ils s'en prennent directement à moi. Et ils osent le faire en présence même du dieu vivant. De ma vie, je n'ai été témoin d'une telle félonie!

— Et ce qui complique tout, c'est qu'ils ont sûrement des complices ici même, parmi les prêtres de Ptah.

— Qu'oses-tu dire?

— Comment auraient-ils pu, autrement, verser le poison? Seul les membres du clergé ont accès aux vases du rituel. C'est la raison pour laquelle Khoufou les a tous mis aux arrêts.

— Tu veux dire que les soldats ont amené nos prêtres à la prison du palais? s'écria Niousséra, incrédule.

— Exactement! Et il faudra redoubler de prudence, grand-prêtre. Les rebelles ont échoué cette fois, mais...

— Je ne crains pas pour ma vie, tu le sais bien. Mais il faut sortir nos prêtres de là. Quand je pense que tu as laissé faire cela! Que le clergé de Ptah soit coupable, c'est impossible!

— Mais ils sont les seuls à avoir accès...

— L'un des nôtres aura été trahi, coupa Niousséra, hors de lui, mais c'est impossible que... Quand je pense qu'ils doivent en ce moment être soumis à la torture! Il faut faire cesser cela immédiatement!

— Je vais me rendre au palais et tâcher d'obtenir l'autorisation de les interroger moi-même, proposa Sénab, qui réalisait enfin l'ampleur de la catastrophe.

— Va, mon fils. Sauve tes frères! Que Ptah te vienne en aide!

 **10.**

Sénab était directement accouru vers la prison royale qui s'élevait en bordure du désert, juste à l'ouest du palais. C'était là que les condamnés attendaient leur départ soit pour l'exil, soit pour les travaux forcés des mines et des carrières. Dès que Sénab eut pénétré à l'intérieur du sinistre édifice, des cris déchirants frappèrent son oreille.

— Quelqu'un a-t-il avoué? demanda-t-il au geôlier qui gardait l'entrée.

— Les bourreaux en sont au troisième ou au quatrième interrogatoire, répondit l'homme. Mais sois sans crainte: leurs méthodes sont infaillibles...

Sénab sentit le cœur lui manquer. Il s'enfonça dans le corridor qui s'ouvrait devant lui. À mesure qu'il approchait de la salle des tortures, les cris de l'homme interrogé se faisaient de plus en plus insupportables. Il s'arrêta devant une lourde porte de bois à demi close. Jetant un coup d'œil par l'ouverture, il aperçut un prêtre de Ptah ligoté

111

sur une table; le bourreau promenait une torche allumée sous ses pieds.

Ces horribles traitements infligés à un de ses confrères blessèrent Sénab tout autant que s'il eût été torturé lui-même. Ouvrant tout grand la porte, il s'élança dans la pièce. Une odeur de chair grillée lui souleva le cœur.

— Au nom de Ptah, j'ordonne que cessent ces supplices!

Le bourreau leva la tête dans sa direction.

— Qui es-tu?

— Je suis Sénab, Maître de l'art du Nésoubity Khoufou!

Les bourreaux échangèrent un regard. Intimidés par l'importance du visiteur — ils connaissaient Sénab de réputation — et par son aplomb, ils s'éloignèrent de la table où se lamentait le malheureux.

— Détachez-le! commanda Sénab. J'ai décidé de mener moi-même cet interrogatoire.

Les bourreaux défirent les liens du prêtre, mais, comme celui-ci ne pouvait marcher, ils durent l'étendre sur le sol juste à côté du feu.

— Je veux que vous m'ameniez les suspects un à un, ordonna Sénab d'une voix ferme. Ensuite vous sortirez et resterez à la porte. Si j'ai besoin de vous, j'appellerai à l'aide.

Tout l'après-midi, Sénab interrogea les prêtres de Ptah. Il questionna ses anciens maîtres avec l'autorité que lui conféraient ses nouvelles fonctions. Mais les wabou s'obstinèrent à lui jurer par tous les dieux qu'ils

n'avaient jamais entendu parler d'un quel-
conque complot.

Il interrogea ensuite les douze serviteurs.
Aucun, parmi les onze premiers, ne savait
d'où venait l'eau utilisée pour la cérémonie.
Sénab appela le dernier, Démout.

Il le connaissait bien; ils étaient du même
âge et avaient commencé ensemble leurs
études à la Maison de vie. Mais Démout
s'étant montré incapable de mémoriser les
signes d'écriture qu'enseignait le maître
scribe, on avait fini par lui trouver un emploi
au temple comme pâtissier.

Sénab attendit que Démout se soit assis par
terre à ses pieds, puis, feignant le plus grand
sérieux, déclara:

— Je sais que tu es coupable.

Démout leva son regard vers Sénab, mais
resta silencieux. Il semblait bien déterminé à
ne laisser échapper aucune parole. Sénab se
pencha vers lui:

— Préfères-tu t'user les genoux à quêter
ton pain parce que le bourreau t'aura brûlé les
pieds? Sache que tes complices ne peuvent rien
pour toi. D'ailleurs, ils t'ont déjà abandonné.
Personne ne te sortira d'ici!

Démout secoua la tête:

— Je n'ai fait que ce qu'on me demandait.
Rien de mal...

— Alors pourquoi trembles-tu comme une
vieille femme devant les ombres de la nuit?

— J'ai seulement versé l'eau qu'il m'a

donnée, affirma l'autre d'une voix suppliante, j'ignorais qu'il y avait du poison dedans...

Sénab bondit sur ses jambes:

— Qui ça, «il»?

— Un homme dont je ne connais pas le nom. J'ai pris l'eau qu'il m'a donnée, parce que cela m'évitait d'aller en puiser au Nil. On me fait travailler si fort au temple, et tu te souviens de la chaleur qu'il faisait ce jour-là...

— Imbécile, pourquoi avoir fait confiance au premier venu?

— Ce n'était pas le premier venu. C'était un membre de la famille royale. Je ne me suis pas méfié, surtout qu'il était avec Oussérê.

— Oussérê du temple de Rê, à Onou?

— Oui! Celui-là même.

Le geôlier apparut à l'entrée de la chambre des tortures.

— Sénab! fit-il, un visiteur te réclame. Viens immédiatement, je crois qu'il s'agit de quelqu'un d'important.

— Qu'on ne le laisse pas échapper, ordonna-t-il aux gardes en désignant Démout. Je n'en ai pas fini avec lui!

À l'entrée de la prison, un homme l'attendait. À son long pagne, Sénab sut qu'il venait du palais. Lorsque le visiteur se retourna, le Maître de l'art serra les dents:

— Ta présence en ces lieux ne me dit rien de bon, Qar.

— Je ne suis pas ici par ma volonté. C'est

Khoufou qui m'envoie. Un messager l'a prévenu de ta présence ici, et notre Seigneur a jugé
que ce n'était pas à toi de mener cette enquête.
Il a décrété que je devais m'en charger personnellement.

— Et pourquoi pense-t-il que tu réussiras
mieux que moi? rétorqua Sénab, piqué au vif.

— Ne te méprends pas sur mes intentions,
Sénab. Je ne suis qu'un simple conseiller...

— Pas de fausse modestie, Qar!

— Deux gardes t'attendent à l'extérieur.
Ils ont pour mission de t'escorter jusque chez
toi afin que tu reprennes ton travail.

— Mais je...

— Regarde! Il s'agit d'un ordre signé par
Khoufou!

Qar poussa sous les yeux de Sénab un do-
cument où apparaissait le cartouche de Khoufou. Le Maître de l'art ne put que se soumettre
à l'ordre qui lui était signifié, mais il se
garda bien de révéler à Qar ce qu'il venait
d'apprendre de la bouche de Démout. Il se mé-
fiait de l'Ami unique et préférait veiller lui-
même à ce que justice soit faite.

Il se laissa donc guider par les soldats qui
l'attendaient, mais il eut le temps, avant de
quitter la prison, d'entendre un ordre lancé
par Qar qui lui glaça le sang:

— Qu'on reprenne les tortures!

*   *   *

Sénab s'était rendu droit au palais. Khou-fou réclamait des preuves qu'un complot se tramait contre lui. Cet attentat n'en constituait-il pas une, et des plus solides? Sénab avait même un coupable à lui livrer, un coupable qui n'était pas muet cette fois et à qui on finirait bien par faire avouer son crime. En outre, n'était-il pas en mesure de prouver que Nioasséra avait raison quand il affirmait que le Nésou-bity avait des ennemis dans son entourage?

Il se précipita dans la salle du trône, qu'il fut déçu de trouver vide. Un chambellan sortit d'une pièce attenante, d'où s'échappaient des éclats de voix.

— Je dois m'entretenir immédiatement avec la Majesté du dieu vivant. C'est une question de vie ou de mort.

— Khoufou préside le Conseil des Dix*, répondit le chambellan. Il faut patienter.

Sénab songea aux prêtres que l'on torturait.

— Pardonne-moi, mais il s'agit d'une affaire qui ne peut pas attendre.

Vif comme le serpent, il réussit à se glisser, derrière le chambellan, entre les gardes nubiens plantés de chaque côté de la porte.

La pièce dans laquelle Sénab venait de pénétrer avait un plafond surélevé; des colonnes de bois peint, en forme de lotus, portaient le

---

* Corps consultatif des Grands du pays.

toit de poutres de cèdre et de planches. Des fresques recouvraient les murs. L'une d'entre elles montrait Khoufou s'apprêtant à frapper, de son gourdin, un Tchéhénou* écroulé à ses pieds. Le trône du Nésou-bity occupait une estrade à l'extrémité opposée de la salle et les Dix étaient assis en deux rangées parallèles à sa gauche et à sa droite.

Sénab s'étendit aux pieds de Khoufou.

Hémyounou se leva brusquement et s'interposa:

— Pour qui te prends-tu, petit impertinent? Ne sais-tu pas que l'on n'interrompt pas le Conseil des Dix? tonna le vizir. Tu n'es pas encore grand-prêtre de Ptah, que je sache!

— Je sais qui est coupable de la mort du second Prophète et qui a attenté à la vie de notre Seigneur! déclara Sénab d'une voix ferme.

Un malaise envahit la salle du conseil.

— Et qui donc, puisque tu es si perspicace?

— Je ne connais pas son nom, mais il s'agit d'un proche d'Oussérê, du temple d'Onou.

— Calomnie! Comment oses-tu mêler le nom d'Oussérê à d'aussi viles machinations! s'écria le vizir.

Les voix des conseillers s'unirent en un seul cri d'indignation.

— Je sais qu'il est mêlé à l'affaire du poison, continua Sénab. Convoque-le au palais,

_____

* Populations vivant dans la région de la Lybie actuelle.

117

interroge-le, ô Nésou-bity tout-puissant, et oblige-le à révéler le nom de son complice.

Khoufou se retourna vers un des hommes assis à sa droite, un personnage imposant, à forte stature et au visage rond relevé par un petit nez recourbé comme le bec d'un oiseau de proie.

— Avance-toi, Oussérê, et défends-toi!

Sénab se sentait défaillir. Il était mis en présence du grand pontife de Rê lui-même. Il se rendit compte trop tard de sa bêtise: il ignorait qu'Oussérê faisait partie du Conseil des Dix!

— Ce sont des sornettes, bien sûr, fit l'homme.

Toute son attitude respirait un calme inaltérable.

— Il est bien évident que ce sont les wabou de Ptah qui sont responsables du crime, continua-t-il. Qui d'autre avait accès à l'eau sacrée?

Hémyounou et les autres Grands fixaient Sénab avec mépris.

— Vous, du clergé de Ptah, intervint Khoufou, qui avait jusque-là observé la scène en silence, vous abusez de ma patience. Niousséra se fait vieux et lance des accusations à gauche et à droite, puis je frôle l'empoisonnement à l'occasion d'une de vos fêtes, ensuite tu viens me relancer avec d'autres calomnies qui impliquent un ami qui m'est cher et qui mérite toute ma confiance!

Sénab, toujours étendu par terre, se sentit

plus petit qu'un moucheron. Khoufou s'était levé et les semelles de ses sandales frôlaient sa tête.

— Certes, Ptah est puissant, continua le roi. Mais Rê, dispensateur de toute vie, est le premier parmi les dieux, et son clergé est le plus sage de tout le Pays des Deux Terres! Et j'ai bien envie de soumettre tous les cultes au sien, et vous, les wabou de Ptah, de vous laisser pourrir en prison!

Sénab releva la tête et, avec l'énergie du désespoir, se lança à la défense des siens.

— N'oublie pas que Ptah est le créateur du monde, ô roi de Kémyet, le potier divin qui a appris aux hommes les secrets des constructions. Pour que ta per-djet soit terminée et que tu montes aux ciel sur les rayons de Rê, tu as besoin de notre science.

Les dernières paroles de Sénab frappèrent l'assemblée de plein fouet. Le Maître de l'art se sentait habité par une force qui venait du plus profond de lui.

— Nous saurons bien te les arracher, ces secrets! grinça Hémyounou après un instant.

— Jamais! La science de Ptah appartient à ses prêtres et à nul autre. Vous aurez beau me torturer, jamais je n'en révélerai les secrets!

— Qu'on jette ce scélérat aux crocodiles! cria une voix derrière Sénab.

Mais personne n'osa faire un geste. Khoufou semblait ébranlé par les derniers arguments de Sénab.

— C'est bon, dit enfin le Nésou-bity, si

vous continuez à me servir et que ma Maison d'éternité est terminée à temps, vous aurez la vie sauve. Sinon je jure de fermer le temple du Mur Blanc et de disperser son clergé.

— Libère mes frères! implora Sénab.

— Il faut d'abord trouver les vrais coupables, intervint Hémyounou.

— Mais je..., commença Sénab.

— Tais-toi, commanda Khoufou. Je ne veux plus que tu te mêles de cette enquête — ni de quoi que ce soit d'autre que de la construction de ma Maison d'éternité. D'ailleurs, j'ai chargé Qar et Hémyounou de faire avouer celui qui a voulu m'empoisonner, et je te jure, par l'Horus vivant, que le responsable sera puni, fût-il le grand-prêtre de Ptah lui-même!

Khoufou dut s'interrompre, tant la colère l'étouffait. Il reprit:

— Je ne tolérerai aucun retard dans le progrès du chantier. À la première bévue, je vous enferme tous!

— Maintenant retire-toi, ordonna le vizir.

Sénab se leva et sortit de la pièce à reculons, le corps plié en deux dans un profond salut.

— Et n'oublie pas, Sénab, dit encore Khoufou, vous n'aurez la vie sauve que si vous me servez comme je l'entends.

*   *   *

Sénab s'empressa d'aller retrouver le grand-prêtre. Il cheminait sur la route du temple quand il aperçut six navires effilés qui faisaient voile sur le Nil.

«Des bateaux de Kébène*! se dit-il en lui-même. Ils apportent le bois pour la construction des barques solaires de Khoufou**! Que Ptah soit loué, ils respectent les échéances, ces fiables marchands! Le moindre retard nous serait fatal dans les circonstances!»

Il se rendit immédiatement dans la grande salle du temple.

— Tu me cherches! fit une voix.

Sénab avait beau scruter l'obscurité, il n'arrivait pas à déterminer d'où provenait la voix mystérieuse à travers la forêt de colonnes.

— Je suis à l'entrée du saint des saints***.

Cette fois, Sénab reconnut Niousséra. Il aperçut le grand-prêtre, vêtu de la peau de léopard réservée au culte. Ce vêtement produisait un effet étrange sur son corps décharné d'où les forces semblaient s'échapper d'heure en heure.

— Me voilà bien seul! soupira Niousséra. Il n'y a pas âme qui vive ici.

— Grand-prêtre, commença Sénab d'une voix où perçait la détresse, la situation est plus grave encore que nous ne le croyions. Qar,

---

* L'antique cité phénicienne de Byblos.
** Dans l'au-delà, le pharaon était censé accompagner Rê en barque, c'est pourquoi de telles embarcations étaient enfouies à côté de son tombeau.
*** Pièce du temple où repose la statue du dieu.

cette vipère sournoise, a été nommé juge par Khoufou. Il gardera nos prêtres sous les verrous, et pour longtemps. Je suis allé défendre notre cause devant le dieu vivant, mais il subit la mauvaise influence des disciples de Rê, et d'Oussérê en particulier.

— Raconte-moi ce que tu as vu et entendu au palais, demanda le grand-prêtre d'une voix éteinte.

Sénab relata les événements de l'après-midi, ce qu'il avait appris de Démout, avant l'intervention de Qar, puis son irruption au milieu du Conseil des Dix et sa confrontation avec Oussérê.

— Khoufou a même menacé de nous détruire et d'instaurer le clergé de Rê comme seul culte officiel! conclut-il.

— Cet infâme Oussérê a juré notre perte! Quand il est arrivé à la cour, il était déjà plein d'arrogance et se prenait pour un petit roi. Il a été assez habile pour cacher son jeu devant Khoufou et il prend des airs d'humilité. Il joue la soumission, mais moi je sais qu'il est dévoré par l'ambition. Et comme il connaît la nature pieuse de Khoufou, il a choisi la religion pour endormir la vigilance de notre roi et le perdre. Il s'est acoquiné avec les prêtres d'Onou; il a conclu avec eux un abominable marché et s'est juré de saper la puissance royale en discréditant le clergé de Ptah.

— Qu'allons-nous faire?

— Tant que nous détenons la science, nous

sommes invincibles. C'est notre plus précieux trésor et c'est un don de notre dieu.

11.

Le cri perçant des babouins montait des palmeraies. Les premiers rayons du soleil caressant le fond de la vallée surprirent Sénab encore endormi sur sa natte, tout entortillé dans sa légère couverture de lin, comme s'il se fût battu avec quelque terrible démon dans son sommeil.

Le Palais avait finalement consenti à libérer les prêtres de Ptah, et le travail avait repris son rythme accoutumé à Akhet-mer. Ankh, levé comme à l'habitude dès les premières lueurs, pénétra dans la chambre de son maître. Aussitôt, Sénab s'étira puis se frotta vigoureusement les yeux.

— Mes rêves étaient pleins de mauvais augures, Ankh, dit-il. J'ai vu Sobek* attaquer sournoisement une jeune femme qui se baignait dans le Nil. Et cette jeune femme, c'était Néférouret.

---

* Divinité représentée par un crocodile.

— Rassure-toi! dit Ankh. Elle est en sécurité au palais.

Sénab étendit le bras pour prendre son pagne qu'il avait laissé tomber, la veille, à côté de son lit.

— Le déjeuner est-il prêt? J'ai aussi faim que si je n'avais pas mangé depuis le temps des dieux*!

— Le cuisinier a préparé le pain et le miel, comme tu les aimes.

— Veille à rassembler les plans du chantier! C'est aujourd'hui que l'on commence à poser le toit de la grande galerie. Il me faut le plan général de la Maison d'éternité de Khoufou, ainsi que les calculs relatifs aux blocs.

— Je mets tout dans le coffret comme d'habitude, répondit Ankh en quittant la pièce.

Sénab, sur le point de se lever, hésita et se laissa retomber sur le lit, cherchant quelques instants d'un repos que la nuit lui avait refusé.

*   *   *

Ce matin-là, au moment où les ouvriers recevaient leur ration d'eau et de pain, un homme se présenta au chantier. Ses cheveux noirs, très longs, étaient retenus sur la tête par un bandeau d'étoffe et sa barbe grise descen-

---

* Expression faisant référence au temps lointain où les dieux régnaient sur terre.

dait en pointe sur sa poitrine. Il cherchait Sénab, le Maître de l'art.

Après s'être frayé un chemin à travers les équipes qui, en chantant, traînaient d'énormes blocs, l'homme atteignit une des carrières à ciel ouvert. On lui désigna Sénab, occupé à donner des directives au surintendant quant au nombre de blocs à tailler.

À son accoutrement, Sénab sut que l'homme n'était pas un fils de Kémyet. Sa tunique bariolée de couleurs vives révélait sans l'ombre d'un doute qu'il s'agissait d'un marchand de Kébène, la ville du bois de cèdre.

— Sénab, le Maître de l'art, est-ce bien toi? demanda l'étranger avec un fort accent.

— C'est moi, répondit le jeune homme, intrigué.

Après avoir salué profondément, le marchand se présenta:

— Je m'appelle Manios. Je viens de Kébène. Du moins, c'est là mon port d'attache. En réalité, mon père était Keftyou*; et ma mère, la fille d'un riche marchand de Kébène. Aujourd'hui, je parcours toutes les côtes de la Grande Verte**.

— Que Ptah guide tes pas, visiteur!

— Le grand Khoufou m'a dit que je te trouverais sur le chantier d'Akhet-mer. Le Seigneur des Deux Terres m'a parlé de tes grands talents d'architecte. Comme je sou-

---

* Les anciens Crétois.
** La Méditerranée.

haite, avec sa bienveillante permission, me construire une villa non loin de Mur Blanc, il m'a envoyé à toi. Si tu acceptes de tracer les plans de ma demeure et d'en superviser la construction, tu pourras compter sur ma gratitude... et ma générosité.

— Pourquoi ne pas vivre au palais quand tu t'arrêtes parmi nous, comme c'est la coutume parmi les marchands? s'enquit Sénab, dont la curiosité était de plus en plus piquée.

— Je me fais vieux, expliqua l'homme. J'ai perdu le goût du voyage. Je veux m'établir et j'ai choisi Kémyet pour pays d'adoption. Je pourrais rendre de précieux services à Khoufou: je connais toutes les routes du commerce sur la Grande Verte et je parle plusieurs langues. Mais, le plus important, c'est que j'aime Kémyet; c'est un pays béni des dieux.

— Puisque c'est le Nésou-bity qui t'a envoyé à moi, comment pourrais-je refuser d'accéder à ta requête? C'est même avec plaisir que je quitterai, de temps en temps, ce chantier où la poussière brûle les yeux et où les cris incessants écorchent l'oreille.

Manios prit la main de Sénab et la baisa avec respect:

— Je t'invite à bord de mon navire. J'y ai aménagé une petite cabine et tu partageras mon repas du soir.

Sénab ne sut que répondre; cette familiarité de la part d'un étranger le mettait mal à l'aise.

— Je vois que la perspective d'un bon repas te sourit, insinua l'autre.

Puis, profitant du mutisme de Sénab, il ajouta:

— Je t'attends avant le coucher du soleil.

Manios répéta son salut et disparut parmi la foule des ouvriers.

*   *   *

Ce jour-là, la barque de Rê parut traverser le ciel avec une lenteur inhabituelle. Sénab était rongé par l'impatience et la curiosité. Sa rencontre avec Manios l'avait troublé à un point tel qu'il semblait sortir d'un rêve profond lorsque les surintendants vinrent s'enquérir de ses ordres.

— Tu n'as même pas regardé le message que je viens de t'apporter, lui reprocha Ankh, le sourire aux lèvres.

— Quoi! Un message? balbutia Sénab. Où est-il?

— Là, sous tes yeux, répondit Ankh en riant.

Sénab décacheta la lettre.

— Un mot de la part de Niousséra, expliqua-t-il. Il me dit que sa maladie s'aggrave et le fait beaucoup souffrir. Même les médecins ne peuvent plus rien pour lui.

Sénab déposa la lettre sur sa table.

— Il n'y a rien de pire que la vieillesse, Ankh. Les yeux s'éteignent, les os nous font mal, les désirs s'évanouissent. Quel malheur!

À quoi sert la sagesse du grand âge si la souffrance habite le corps du vieil homme!

Ankh n'écoutait déjà plus. Replié au-dessus de sa tablette à écrire, il recopiait un texte que Sénab lui avait demandé de porter au bureau du vizir.

Sénab songea à Néférouret. Elle était si loin de lui, même si elle ne quittait jamais complètement ses pensées. «Comment pourrai-je un jour retrouver celle que les dieux m'avaient promise? se demandait-il. La reverrai-je avant d'être vieux à mon tour?» Il secoua la tête pour chasser sa tristesse.

— Je compte sur toi, Ankh, pour ranger les papyrus et les placer en lieu sûr, à la maison.

Le secrétaire leva la tête et acquiesça.

— Je me rends à l'invitation de ce Manios, ajouta Sénab.

Avant de quitter le chantier, il jeta un dernier coup d'œil à la per-djet de Khoufou. La journée avait été fructueuse, les premiers blocs du toit de la grande galerie s'étaient agencés les uns aux autres à la perfection — les calculs de Nio
usséra s'étaient révélés impeccables. Une étape cruciale venait d'être franchie dans la construction de l'immense tombe. Sénab évalua le travail qui restait à faire.

— De toute façon, se dit-il, tant que l'édifice ne sera pas terminé, Khoufou ne pourra pas se passer de nous!

*   *   *

Comme le jour tirait à sa fin, Sénab hâta le pas, ne voulant pas être surpris par la nuit qui tombait sans transition dans la vallée. Il emprunta le sentier qui menait vers le quai, au-delà de Mur Blanc. Il aperçut enfin la mâture du navire de Manios qui se profilait contre le ciel où perçaient quelques étoiles.

Des torches avaient été allumées sur le bateau. Sénab aperçut un homme, assis sur un tas de planches, qui semblait l'attendre.

— Te voilà!

Il reconnut Manios.

— Sois le bienvenu à bord de l'*Akakallis**. Le confort de ma cabine n'a rien de comparable à celui de la villa que tu sauras me construire, mais nous y serons à l'aise pour fêter notre nouvelle association.

Manios invita Sénab à franchir la passerelle qui menait à bord.

— As-tu déjà fait le voyage jusqu'à Kébène? demanda le marchand.

— Mes fonctions ne me permettent guère les longues absences, répondit Sénab. Et tout dépend de la volonté de Khoufou. Seuls ceux qui sont mandatés par lui partent pour la Grande Verte.

— Lorsque je vivrai à demeure dans ce pays, dit Manios, j'interviendrai auprès du dieu vivant pour qu'il te confie une mission aux montagnes de cèdres et de pins. Tu

---

* Fille de Minos, divinité principale des Crétois.

n'auras jamais vu tant d'arbres de ta vie! Je te ferai connaître nos villes, pleines d'étrangers arrivant de tous les horizons: des lointaines et mystérieuses cités de Sumer, de la grande ville marchande de Mari, des riches steppes d'Alalakh, des mines de cuivre d'Alasia*, et même de Keftyou.

Sur le pont, des matelots aux longues barbes en broussaille bavardaient dans une langue que Sénab n'avait jamais entendue.

— Ce sont des hommes de Kébène?

— Non! Ceux-là viennent d'Arwad, qui est plus au nord, sur la côte. Ce sont d'habiles marins. De solides gaillards!

À la poupe, une petite structure de bois couverte de toile servait de cabine au capitaine. Une lampe en forme de corne y était suspendue.

— Mets-toi à ton aise! fit Manios en déplaçant un coffre aux incrustations de cuivre. Assieds-toi sur ces coussins! Il ne sera pas dit que Manios est un mauvais hôte!

Le marchand avait saisi une cruche et deux bols à boire.

— Du vin de mon pays! dit-il gaiement, versant le liquide d'un rouge glauque dans le gobelet de Sénab. Que Hathor, la Grande Dame du Ciel, protège notre amitié**!

---

* Les cités de Sumer occupent la plaine sud de la Mésopotamie. Mari se trouve sur l'Euphrate. Les steppes d'Alalakh s'étendent au nord-est de la Syrie. Alasia est le nom ancien de l'île de Chypre.

** À l'époque des pyramides, les Égyptiens avaient érigé, à Byblos, un temple à la déesse.

Sénab leva son bol et avala le vin d'un trait.

— Prudence, jeune homme! fit en riant le marchand, ce n'est pas de la bière! Si tu bois trop vite, ton esprit se détachera de ton corps et tout basculera autour de toi...

Sénab sourit et tendit son bol à Manios:

— Mon esprit a grand besoin de repos, fit-il en soupirant. Les travaux d'Akhet-mer pèsent lourd sur mes épaules.

— En parlant de travaux, coupa Manios, j'ai quelque chose pour toi. Un gage de ma confiance. Ouvre ce coffre, là, à côté de toi.

Le Maître de l'art déposa son bol par terre et s'étira pour soulever le couvercle du coffre en question.

— Des bijoux en or... et en argent! s'exclama-t-il.

Il ne s'attendait pas à trouver tant de richesses dans un lieu aussi humble.

— Choisis celui que tu préfères, répliqua le marchand. Il est à toi!

Jamais Sénab n'avait reçu de cadeau, encore moins de l'or et de l'argent.

— Je ne peux pas accepter, dit-il en baissant la tête. Je ne suis que Maître de l'art, pas le Nésou-bity.

— Tu es MON Maître de l'art et je te paierai comme bon me semble. Je veux te remercier d'avoir accepté de travailler avec moi. Je t'en prie, ne me prive pas de ce plaisir!

L'envie était trop forte; il ne put refuser.

— C'est bon, finit par concéder Sénab.

Il examina un à un les bijoux. En soule-
vant un collier de perles d'or enroulé dans un
coin, il remarqua tout à coup un bracelet
d'argent. Il retira lentement l'objet précieux,
puis scruta avec minutie les incrustations de
faïence qui l'ornaient.

— D'où vient ce bijou?

— Celui-là? fit Manios nonchalamment. Il
m'a été vendu par un courtisan du palais. Il
m'avait recommandé de ne le montrer à personne, mais puisqu'il te plaît, je te le donne
volontiers.

Sénab retourna le bracelet dans tous les
sens. «Est-ce que le vin ne serait pas en
train de me jouer un vilain tour?» se demanda-t-il.

— Que t'arrive-t-il? interrogea le marchand. Tu es devenu pâle comme la face de la
lune!

— Quand as-tu acheté ce bracelet?

— À l'occasion de ma dernière visite au
palais, il y a trois jours.

— Et qui te l'a vendu?

— Un certain Nèni, je crois. C'est un
membre influent de la famille royale.

Manios déposa son gobelet et fixa Sénab
droit dans les yeux.

— Pourquoi toutes ces questions, jeune
homme? Que sais-tu au sujet de ce bracelet?

Sénab baissa la tête. Ses pensées étaient
trop graves pour qu'il les confie à un inconnu.
Il avait lu le nom d'Hotep-Hérès écrit à
l'intérieur du bracelet; il provenait donc de la

tombe de la défunte reine. Manios plaça amicalement sa main sur son épaule:

— Je respecte ton silence. Si tu préfères garder ton secret, qu'il en soit ainsi! Prends encore du vin!

Sénab accepta un second gobelet de boisson fermentée. Manios se fit très volubile. Il parla de son métier, de son épouse et de ses enfants qui vivaient à Kébène. Il posa des questions à Sénab.

Ce dernier parla de Néférouret et du malheur qui les avait frappés. Puis il but encore du vin. Finalement, il n'y tint plus. Le secret qu'il portait était trop lourd. Jusque-là, il s'était méfié de Manios, mais il lui trouva soudain un air plutôt honnête et il décida de s'ouvrir à lui.

Il lui raconta le complot qui se tramait depuis des mois contre Khoufou. Il décrivit les accidents survenus aux carrières du sud, le viol de la tombe de la reine mère. Manios écoutait sans broncher, hochant parfois la tête en signe d'assentiment. Sénab termina son long récit par la mort du second Prophète. Il expliqua à Manios comment les fauteurs de troubles du temple de Rê avaient réussi à compromettre les serviteurs de Ptah en abusant de la naïveté de Démout.

— Par toutes les divinités qui habitent l'Univers, s'écria Manios, te voilà mêlé aux intrigues les plus sombres! Je comprends maintenant que la vue de ce bracelet t'ait bouleversé à ce point.

— Maintenant, je tiens les coupables, conclut Sénab. Oussérê est intouchable pour le moment, mais dès que j'aurai prouvé la culpabilité de Nèni, dont ce bracelet constitue la preuve indiscutable, tout leur plan sera à l'eau.

— Pas si vite, jeune homme! Si ce Nèni est impliqué dans le complot dirigé contre Khoufou, cela signifie que tes ennemis sont puissants. Ils font partie de la famille royale! D'ailleurs, ton histoire prouve qu'ils ont leur entrée aux carrières du sud, au temple de Ptah, au palais, sans compter, certainement, les autres officines du royaume.

Après un long silence, Manios se leva et tendit la main à Sénab:

— Je t'offre mon aide. J'ignore encore ce que je pourrai faire pour toi, mais tu peux placer ta confiance en moi. Je déteste les comploteurs, surtout lorsque mes amis sont en danger.

— Je te remercie, Manios. Khoufou avait raison de t'envoyer vers moi. Prends ce bracelet et garde-le. Ici, il ne risque rien. Bientôt, nous pourrons le replacer dans le seul lieu qui lui convienne: la Maison d'éternité d'Hotephérès.

— Garde-toi bien de commettre quelque imprudence jusqu'à notre prochaine rencontre. Grâce à mon métier, je peux aller et venir au palais sans contrainte. J'espère bien y découvrir quelque chose de nouveau. Tu sais, l'or fait parler les gens, quel que soit leur rang. Personne n'y résiste longtemps! Va! Je te reverrai dans quelques jours.

Sénab remit le précieux bracelet à Manios et prit congé de son hôte.

 **12.**

Sénab n'arrivait pas à fermer l'œil. L'image du bracelet de la reine mère le poursuivait, et le nom de Nèni lui martelait l'esprit comme une incantation maléfique. Couvert de sueur, il marchait dans le jardin, sous le ciel tout blanc d'étoiles, en implorant Hotep-hérès de le libérer de sa torture.

L'horizon rougeoyait déjà quand il se résolut à s'étendre au bord de l'étang où plongeaient de grosses grenouilles vertes.

C'est là que le jardinier le trouva, une main baignant mollement dans l'eau. Le vieux serviteur poussa un cri d'effroi. Sénab sursauta:

— Que se passe-t-il?

— Que mon maître me pardonne! supplia le vieillard. J'ai cru que ton Ka avait quitté ton corps.

— Ce n'est pas encore aujourd'hui, répondit Sénab, en frottant son dos courbaturé. Osiris ne me verra pas de si tôt!

— Ces paroles te porteront malheur,

maître. Il ne faut pas provoquer en vain le Seigneur de l'Occident*!

— L'œuvre des hommes est parfois plus dangereuse encore! rétorqua Sénab.

— Quand je t'ai vu étendu ici, je me suis dit que c'est ton fantôme que j'ai aperçu plus tôt ce matin quittant la villa.

— Qu'est-ce que tu racontes, vieillard? maugréa Sénab en passant sa main dans sa chevelure ébouriffée pour y mettre un peu d'ordre.

— Juste au lever du soleil, comme j'arrivais, j'ai cru te voir sortir par la porte principale, portant ton coffret sous le bras...

— Tu divagues, jardinier, fit Sénab, qui avait l'impression que sa tête allait éclater. C'est l'âge qui te joue des tours. Maintenant, laisse-moi en paix!

Le jardinier s'éloigna à pas mesurés pour aller arroser les dattiers au fond du jardin.

Sénab se pencha et s'aspergea le visage. L'eau était fraîche et le jeune homme se sentit mieux. Il se mit à planifier sa journée. «D'abord, retrouver Ankh, se dit-il, ensuite, j'irai raconter l'incident du bracelet à Niousséra. Nous aviserons de l'action à entreprendre. Il ne perd rien pour attendre, cet intrigant d'Oussérê. J'ai hâte de le voir tomber de sa hauteur quand il apprendra que je sais qui est son complice.»

---

* Titre porté par Osiris.

Sénab rentra dans la villa. Il ne se sentait pas très solide sur ses jambes, et il avait peine à chasser les brumes du sommeil de son esprit. Il traversa la salle d'hôte puis s'engagea dans le corridor menant aux chambres. Comme Ankh n'était plus dans la sienne, Sénab se dirigea vers son bureau.

Le garçon était assis à la table, devant un papyrus. Sénab s'approcha sans faire de bruit.

— N'essaye pas de me faire peur, plaisanta l'autre. Je sais que c'est toi; j'ai reconnu ton pas.

— Tu n'es pas obligé de travailler les douze heures du jour et les douze heures de la nuit, Ankh!

— Mais cela fait déjà bien longtemps que Rê suit son chemin! répliqua le secrétaire.

— Ce matin, je ne déjeunerai pas. Je souhaite arriver tôt sur le chantier.

— Tu oublies que les fêtes de la récolte commencent aujourd'hui, déclara Ankh sans même lever la tête. Le chantier est fermé pour cinq jours...

— Tu m'es plus précieux que le lapis-lazuli, s'écria Sénab, se grattant la tête. Voilà le répit dont j'avais besoin...

Ankh regarda fixement son maître.

— Ne me dis pas que tu avais oublié? Vraiment! le vin de ton hôte t'a monté à la tête!

— Qui t'a raconté cet ignoble mensonge? rétorqua Sénab.

— Regarde ton pagne! Il est couvert de

taches... Et ce n'est pas l'eau du Nil qui teint les vêtements en rouge...

S'emparant d'un chasse-mouches sur la table, Sénab se retourna vivement:

— Sors d'ici, petit vaurien, maugréa-t-il, faisant mine de se fâcher.

Ankh esquiva le coup, riant à pleine gorge, et disparut dans le corridor.

Sénab revint à sa table de travail et chercha le coffret de bois contenant les plans de la Maison d'éternité. Ne le voyant pas à la place où Ankh le rangeait habituellement, il traversa la pièce jusqu'aux casiers qui couvraient le mur du fond.

— Ankh! cria-t-il.

Un bruit de course résonna dans le corridor et le secrétaire reparut dans l'embrasure de la porte.

— As-tu bien rangé les plans d'Akhetmer?

— J'ai placé le coffret sur ton bureau, comme tous les soirs, répondit le jeune homme.

— Il n'y est pas! Et je ne le trouve nulle part! s'écria Sénab. Il sentit un serrement au creux de l'estomac.

Ankh s'approcha:

— Pourtant, il était là, à côté de ta tablette à écrire.

— Étrange..., fit Sénab, jetant un dernier coup d'œil dans la pièce. À moins que...

— À quoi penses-tu? demanda Ankh.

— Je songe à ce que le jardinier vient de

142

me dire... Regarde! Des traces de terre. Un étranger est venu ici!

— C'est peut-être quelqu'un de la maison, suggéra Ankh.

— Tout le monde sait que j'interdis à quiconque de circuler dans la maison avec ses sandales. Il n'y a pas de doute, quelqu'un est venu ici! On m'a volé les plans!

— Ne serait-il pas plus prudent de...

— Il n'y a plus de doute possible, coupa Sénab: ils épient mes faits et gestes et, profitant de mon absence, ils ont décidé de frapper le grand coup: faire disparaître les précieux plans pour nous empêcher de mener à bien notre mission.

— Qu'allons-nous faire? La réussite des travaux d'Akhet-mer est notre seule chance d'échapper aux foudres de Khoufou...

— Je te jure, par Thot, que c'est plutôt la cour qui va subir mes foudres, s'écria Sénab. Manios avait peut-être raison de me prêcher la prudence, mais je ne resterai pas impassible devant ce vol! Que fait Itaou? Il n'est jamais là quand on a besoin de lui!

— Il est au palais, expliqua Ankh. Il a décidé de profiter du congé pour aller faire une partie de sénet*, avec ses amis nubiens.

*   *   *

---

* Le jeu de sénet consiste à faire avancer les pions sur un damier de trente cases, l'objectif étant d'atteindre, sans encombre, l'au-delà.

143

Sans même prendre le temps de faire sa toilette, Sénab se lança sur la route de terre menant au palais. Il arriva, haletant, devant le poste de garde. Deux Nubiens, assis par terre, leurs lances appuyées au mur d'enceinte, discutaient avec vivacité.

— Je veux voir Itaou, déclara le Maître de l'art.

Les hommes se levèrent.

— Rends-toi au baraquement, répondit l'un d'eux. Tu le trouveras avec les autres.

Sénab traversa le large portail, tourna à gauche et longea le mur. À cent coudées de là, il s'arrêta devant un édifice bas, percé de nombreuses portes, devant lequel les soldats de la milice nubienne vaquaient à leurs occupations. Certains prenaient leur repas du matin, d'autres jouaient au sénet.

Sénab aperçut Itaou, assis devant un compagnon qui mélangeait les bâtonnets servant au jeu.

— Thot m'envoie une vision! s'exclama Itaou. Voilà le Maître de l'art en personne qui daigne se joindre à nous.

— J'ai besoin de toi! laissa tomber Sénab.

— Tu vois? s'écria le Nubien, joyeux. Avec ce deux et ce quatre, mon dernier pion franchit la porte d'Osiris.

— Ce n'est pas le moment de passer dans l'au-delà, répondit sèchement Sénab. Suis-moi.

Itaou comprit au regard de son ami que quelque chose ne tournait pas rond. Laissant tomber ses bâtonnets, il suivit Sénab, qui marchait déjà vers le palais.

— Mon maître est bien pressé ce matin, commenta Itaou.

— D'abord, je ne suis pas ton «maître», rétorqua Sénab. Ensuite, le moment n'est pas à la fête: on m'a volé les plans d'Akhet-mer!

— Ne les as-tu pas tout simplement égarés?

— Je suis certain qu'un intrus est venu chez moi et s'est enfui avec mon coffret.

— Qui?

— Il n'y a qu'une seule réponse possible: les comploteurs! Oussérê ou son complice que je connais maintenant, Nèni.

— Que comptes-tu faire? Les forcer à te rendre les documents? Nous n'avons aucune chance, toi et moi, seuls contre ces rustres.

— Suis-moi! coupa Sénab.

Les jeunes gens se dirigèrent vers le palais. Itaou passa derrière le soldat qui gardait l'entrée et lui enserra le cou dans son bras musclé. Le pauvre garde, pris de surprise, laissa tomber sa lance. Itaou lui ferma la bouche de sa large main et fit signe de la tête à Sénab qu'il pouvait y aller.

Sur la droite, un corridor s'ouvrait, menant aux pièces réservées à l'administration. C'est de ce côté que Sénab dirigea ses pas. Nerveux, il jeta un furtif coup d'œil dans chacune des pièces. Elles étaient vides car les scribes aussi étaient en congé. Puis, il s'arrêta: il venait d'apercevoir celui qu'il cherchait.

— Pardonne mon audace, ô oncle du dieu

et vizir de Kémyet, fit Sénab, s'inclinant respectueusement. Un grand malheur frappe à nouveau Akhet-mer.

Hémyounou qui travaillait, seul, dans son bureau, leva la tête vers l'intrus.

— Je ne t'ai pas accordé audience, que je sache! dit-il d'une voix sèche.

— Les... Je..., balbutia Sénab.

Puis, retrouvant son aplomb, il se racla la gorge et reprit d'une voix ferme:

— Mes papyrus ont disparu. Et j'ai appris qui est le complice d'Oussérê dans toutes les actions louches dont le pouvoir du dieu vivant a été la cible.

— Encore une fois, ta perspicacité m'étonne, Maître de l'art, ironisa Hémyounou. Qui sont ces... «coupables», que même mon enquête n'a pas réussi à démasquer?

— Nèni! affirma Sénab. C'est lui le complice d'Oussérê, je l'ai surpris la main dans le sac.

Le visage d'Hémyounou se crispa.

— Tu veux parler du fils de Khanéfer, le propre frère du Nésou-bity?

— Il est de la famille royale, voilà tout ce que je sais.

— Tu déraisonnes, jeune homme. Jamais un parent de Khoufou ne tenterait une telle infamie contre le porteur de la Double Couronne!

— Je ne peux tout t'expliquer, vizir, mais tu dois me croire. Le bracelet... la tombe de la reine mère...

— Assez! coupa Hémyounou. Tes paroles

sont aussi viles que celles du serpent qui cherche à endormir sa proie.

— Manios, le marchand de Kébène, pourra le prouver!

— Un marchand de la Grande Verte! dit Hémyounou d'un ton méprisant. Si tu ne quittes pas cette pièce sur-le-champ, je te fais conduire à la prison. Tu sembles oublier par trop souvent les paroles de notre Seigneur! Contente-toi de mener à bien les travaux d'Akhet-mer, c'est tout ce qu'on te demande. Et maintenant, disparais! Et tout de suite, avant que je ne change d'idée!

L'ordre avait résonné dans le corridor. Sénab recula. Des curieux s'étaient rassemblés à la porte et observaient d'un œil amusé le jeune Maître de l'art qui venait d'essuyer cette rebuffade de la part du vizir. Ravalant sa honte, Sénab se fraya un chemin à travers les courtisans, esquivant les regards moqueurs.

— Et alors? demanda Itaou, qui relâcha son étreinte, laissant le garde s'écrouler sur le sol, à demi inconscient.

Sénab continua sans broncher vers la sortie. Son compagnon le suivit, brûlant de curiosité.

— C'est la fin, dit sombrement Sénab quand il fut hors du palais. Hémyounou ne veut rien entendre.

— Tu as été imprudent de révéler ce que tu sais au vizir. Qui te dit qu'il n'est pas lié aux rebelles?

— L'oncle de Khoufou? fit Sénab.

— Du train où vont les choses, je me méfierais de tout le monde, y compris du vizir!

— Tu te méfies de tous les fils de Kémyet, toi! rétorqua Sénab. Les Médjaïs sont tous pareils!

Itaou se renfrogna, il n'avait jamais vu Sénab d'aussi mauvaise humeur.

— Je veux voir Néférouret, s'écria Sénab en s'engageant vers la maison des épouses royales.

— Ne la mêle pas à tes histoires! lui lança Itaou. Tu pourrais le regretter.

Sourd aux avertissements de son ami, Sénab pénétra dans la demeure des élues du Nésou-bity. Dans la cour intérieure, livrée aux chauds rayons de Rê, sept femmes étaient assises devant de larges cadres de bois où étaient tendus des fils de chaîne en lin. Faisant passer la navette de gauche à droite, puis poussant la trame vers le bas, elles tissaient les étoffes qui serviraient aux habitants du palais.

— Néférouret! appela Sénab.

— Sénab! lança-t-elle, les yeux ronds d'étonnement. Qui t'a donné la permission de me rendre visite?

Il s'approcha d'elle sous le regard amusé des autres femmes.

— J'ai dit au surintendant que le vizir m'avait chargé de te confier un message de la part du roi, et il m'a cru, lui glissa-t-il à l'oreille.

— Que se passe-t-il? Ta voix tremble.

— Viens me retrouver au jardin, derrière le harem. Il y a des choses graves dont je veux te parler.

— Je ne peux pas laisser mon travail tout de suite. Va m'attendre sous les palmiers. Je viendrai dès que l'heure du repos sonnera. Et maintenant, file avant que la première épouse ne nous surprenne.

La jeune fille jeta un regard inquiet à ses compagnes. Sénab s'esquiva par une porte de côté et, après avoir longé le mur extérieur, se retrouva à l'endroit indiqué par Néférouret, sous les palmiers. À l'abri des regards importuns, il s'adossa à un arbre.

Il voulait penser à celle qu'il aimait, mais — c'était plus fort que lui — il revoyait le visage d'Hémyounou et les sourires sarcastiques des gens du palais. Il sentit tout à coup le froid d'une lame sur son flanc gauche.

— Mais qu'est-ce...? s'exclama-t-il.

— Par Bastet! murmura une voix. Si tu pousses un cri, je t'envoie dans l'au-delà!

— Qui es-tu? dit Sénab, se retournant vers son assaillant.

— Si tu bouges, je t'enfonce cette dague dans le corps sans hésiter un seul instant. Pas un mot, et fais ce que je te dis.

Sénab comprit que l'homme n'avait aucune intention de discuter et, obéissant, s'enfonça à travers la palmeraie jusqu'à la porte de côté, qu'il avait déjà empruntée lors de sa visite nocturne à Néférouret.

Une fois franchi le mur d'enceinte,

l'homme leva le poing et frappa Sénab au visage. Le Maître de l'art ressentit une grande douleur et sa vue se brouilla. Quand il rouvrit les yeux, il était à quatre pattes sur le sol. Il essayait de se relever quand il vit l'homme se pencher au-dessus de lui et lever de nouveau le poing. Une grande lueur l'éblouit, puis il sombra.

13.

Sénab ressentit d'abord comme un fort mouvement de roulis. Puis il renifla une odeur salée qui se mélangeait à celle du foin coupé.

«Ce doit être le vin qui me tourne la tête!» pensa-t-il.

Il ouvrit un œil. Il était couché sur de la paille fraîche, dans un lieu sombre et étroit. Une faible lueur filtrait à travers le plafond, soutenu par un poteau central. Devant lui, de larges cruches d'argile étaient attachées avec de gros cordages. Il perçut un clapotis derrière la paroi de bois contre laquelle il était appuyé.

Il comprit qu'il était dans la cale d'un navire.

«Que s'est-il donc passé? J'ai bu avec Manios puis j'ai dû m'endormir... Mais ces vagues sont trop fortes pour que nous soyons encore en rade. Donc nous voguons... Mais vers où?»

La mémoire lui revint peu à peu. Il se souvint que, la veille, il s'était rendu au palais et qu'il avait vu Néférouret. La vérité le frappa comme un éclair: «On m'a enlevé, se dit-il. C'est la bande à Oussérê qui a fait le coup!»

Il essaya de bouger, mais il se rendit compte que ses ravisseurs lui avaient ligoté les poignets et les chevilles.

À sa gauche, Sénab aperçut des paniers; ils étaient remplis de disques de pâte de verre bleutée*. Se rappelant les produits que le Nésou-bity de Kémyet échangeait contre des poutres de cèdres des montagnes de Kébène, il conclut qu'il se trouvait dans un navire marchand.

Sénab tenta de bouger mais un cri de douleur lui échappa. Il s'était coupé au bras sur l'arête d'une des pierres placées sous le paillis pour augmenter le tirant d'eau du navire.

Une idée lui vint. Palpant les cailloux, il finit par retrouver celui qui venait de lui entailler la peau. Il y appuya la corde qui retenait ses poignets attachés et, malgré la gêne qu'il éprouvait, se mit à frotter avec vigueur. Il fit si bien qu'après un temps assez court il sentit ses liens se relâcher.

Au-dessus, les contremaîtres criaient leurs ordres et Sénab entendait le pas des marins qui couraient sur le pont. Au moment où ses liens allaient lâcher, il perçut un gémissement. Il leva la tête et, dans un dernier effort, les fit céder.

Le gémissement sourd se fit de nouveau

---

* Chauffés, ils servaient à la fabrication de petits contenants de verre.

entendre. Sénab se hâta de couper les liens qui lui paralysaient aussi les jambes et se leva, serrant dans son poing la pierre coupante. Il avança à travers les sacs qui jonchaient le fond de la cale, courbant la tête pour ne pas se cogner contre le plafond. Il se tenait debout avec peine tant le navire tanguait.

«Il faut que nous soyons sur la Grande Verte, se dit le jeune homme, qui n'avait jamais navigué en haute mer. Hapy ne secoue jamais ses passagers de la sorte.»

Vers l'avant, entre deux énormes jarres contenant des huiles, Sénab aperçut un sac de lin grossier qui remuait. «On dirait que Ptah n'a pas voulu que je fasse le voyage seul», pensa-t-il.

Il approcha son couteau de fortune de l'ouverture du sac et se mit à cisailler la corde qui le tenait fermé. «Par tous les dieux! murmura Sénab en découvrant le visage d'une jeune femme bâillonnée, Néférouret!»

Il fit un geste pour la libérer puis, tendant l'oreille, se ravisa:

— J'entends des pas qui s'approchent de l'entrée de la cale, souffla-t-il à voix basse. Je referme le sac. Ne bouge plus.

Sénab revint à sa place en sautillant entre les marchandises. Il arrangea tant bien que mal les liens autour de ses jambes et s'étendit sur le côté. Quelqu'un descendit la courte échelle qui jouxtait le pilier central et marcha droit sur lui. L'homme l'observa un instant puis le poussa brutalement du pied.

— Réveille-toi! tonna la voix.

Sénab reconnut aussitôt l'accent qu'il avait entendu la veille.

— Manios! s'écria-t-il. Pourquoi m'a-t-on emmené ici?

— C'est moi qui commande à bord! répondit le marchand d'une voix peu amicale.

— Tu as abusé de ma confiance...

— Et de ta naïveté! coupa Manios. Je t'avais bien dit qu'on pouvait acheter tout le monde, ajouta-t-il en éclatant d'un rire cynique qui fit rager Sénab. Il s'avère que Nèni est bien plus riche que toi!

— Tu profites de ce que je suis ligoté pour te moquer de moi! s'écria Sénab. Tu paieras ton crime, toi aussi, comme les autres!

— Pour le moment, c'est plutôt mon crime qui est payant: tu vois ces sacs de cuir? Ils sont pleins d'or! Assez pour corrompre tous les rois de la côte!

— Où me conduis-tu?

— Loin. Très loin. Tu ne reverras jamais ta vallée. J'ai pour mission de t'abandonner dans la contrée de mes ancêtres. Tu ne pourras jamais en revenir.

— Que Bastet te foudroie de son regard! s'exclama Sénab, dont les yeux jetaient des éclairs.

Manios se contenta de sourire. Haussant les épaules, il s'agrippa aux barreaux de l'échelle et, jetant un dernier regard dans la cale, disparut par la trappe.

Sénab attendit un peu puis rejeta ses liens et revint à l'avant du navire.

— Le marchand est parti, dit-il à Néférouret en rouvrant le sac. Je vais te sortir de là.

Il défit d'abord le bâillon et délivra la jeune femme de ses liens à l'aide de son couteau improvisé.

— Te voilà libre, dit Sénab à voix basse.

Néférouret se jeta dans les bras du Maître de l'art.

— Je suis heureuse que les dieux nous aient enfin réunis.

— Je me demande pourquoi ils t'ont enlevée, toi, une épouse royale?

— Qu'importe! Au moins nous sommes ensemble. Nous trouverons bien un moyen de nous sortir de là. Hathor nous aidera.

— Sais-tu qui t'a amenée ici?

— Quand j'ai réussi à quitter le harem pour te retrouver au jardin, un inconnu m'y attendait. Il m'a dit que tu lui avais ordonné de me conduire auprès de toi. Je l'ai cru et je l'ai suivi. Peu après, lui et un autre inconnu se sont emparés de moi et m'ont bâillonnée, ensuite ils m'ont mise dans ce sac. C'est ainsi qu'ils ont pu m'emporter jusqu'ici tranquillement et en plein jour.

— C'est donc que mes ennemis m'espionnent depuis longtemps déjà, conclut Sénab, et qu'ils étaient au courant de nos rendez-vous. Il y a longtemps que le navire a quitté Mur Blanc?

— Hier matin.

— Si Manios suit sa route habituelle, nous devons déjà voguer en pleine Grande Verte et longer la côte en direction de Gadjati*, réfléchit Sénab à voix haute. Lorsqu'ils accosteront pour éviter de naviguer de nuit, nous tenterons de leur échapper. C'est notre seule chance.

— Je vais essayer de trouver des provisions, suggéra Néférouret. Le chemin du retour sera long jusqu'à Terre Noire.

Tandis que Sénab et Néférouret ouvraient les sacs et les cruches afin d'y dénicher de quoi boire et manger, le roulis s'était amplifié au point où il était presque devenu impossible de se tenir debout. L'agitation semblait redoubler sur le pont, mais les ordres criés par le contremaître étaient emportés par le vent.

— Il fait tempête. Que Bès nous protège! implora Néférouret. Tu portes encore l'amulette que je t'avais donnée?

— Comment aurais-je pu m'en séparer? rétorqua Sénab en lui montant la petite boule de faïence attachée à son cou.

— Si le vaisseau coule dans la tempête, les brigands seront bien punis, mais j'espère que nous n'irons pas nous aussi par le fond! s'écria l'épouse royale.

Les planches de la coque geignaient sous la violence des vagues.

— Et si nous aidions Maat? proposa soudain l'épouse royale.

---

* La ville actuelle de Gaza.

— Qu'est-ce que tu veux dire?

— C'est bien de laisser la justice aux dieux, mais c'est encore mieux de les aider à l'appliquer. Où as-tu mis la pierre dont tu t'es servi pour couper mes liens?

— Je l'ai jetée là, à côté du sac où tu étais emprisonnée.

La jeune femme remua le paillis et réussit à retrouver le précieux outil. Elle jeta un regard malicieux en direction de Sénab et se mit à gratter l'étoupe noircie de goudron qui comblait les interstices entre les planches de la coque.

Bientôt, des filets d'eau apparurent, qui gagnaient en importance à mesure que Néférouret progressait dans son travail. Sénab se pencha, dénicha une autre pierre présentant une arête acérée et entreprit le même travail du côté opposé.

Très vite, l'eau commença à s'accumuler dans la cale. Là-haut, sur le pont, les marins semblaient avoir perdu le contrôle de leur navire. Sénab et Néférouret vidèrent deux sacs de cuir servant au transport et les remplirent d'oignons et de poireaux.

— Nous allons nous les attacher autour de la taille, suggéra Néférouret. Si nous devons nager, nous ne risquons pas de les perdre.

Tandis que Sénab et Néférouret préparaient leur fuite, un lame submergea le navire. L'eau s'engouffra dans la cale par les interstices entre les planches du pont. Sénab et Néférouret se retrouvèrent trempés jusqu'à la ceinture, entourés de paniers qui flottaient.

— Montons sur le pont, cria Sénab. Si nous restons ici, nous serons bientôt noyés.

Saisissant Néférouret par le bras, il s'agrippa à l'échelle et tira la jeune femme à lui.

— Enlève ta tunique, lui cria-t-il, et garde une pièce pour t'en faire un pagne. Tu auras peine à nager avec ce vêtement imbibé d'eau.

Ils soulevèrent la trappe et grimpèrent furtivement sur le pont. Le vent chargé de pluie leur coupa le souffle. Les marins, trop occupés à lutter contre la tempête, ne s'avisèrent même pas de leur présence. On avait ramené les voiles, mais le navire, transformé en passoire, ne voguait plus qu'à fleur d'eau, dominé de part et d'autre par les vagues gigantesques. Plusieurs matelots avaient été emportés par la lame, et ceux qui restaient, en proie à la panique, se jetaient eux-mêmes à l'eau, emportant les quelques biens qu'ils ne pouvaient se résigner à abandonner.

Seul, les bras enroulés autour du mât, Manios refusait de partir.

— Te voilà bien puni, Manios! lui cria Sénab, contre le vent qui hurlait.

— Mon navire! cria l'autre, au comble du désespoir. C'est dans son ventre qu'est toute ma fortune!

— Alors, ricana Sénab, triomphant, péris avec ton or! Nul ne peut échapper au regard vengeur de Bastet!

Une seconde lame, plus violente encore que la première, prit d'assaut le frêle bateau et le submergea tout à fait. Il n'y eut bientôt plus, là où voguait naguère l'*Akakallis,* qu'un sinistre bouillonnement sur la mer.

Sénab se retrouva sur les flots déchaînés, parmi les débris de poutres. Il avait avalé de l'eau, de cette eau salée qui lui brûlait aussi les yeux. Il parvint à s'accrocher à un morceau de l'épave et se laissa porter. Il était saisi de vertige chaque fois qu'il parvenait au sommet d'une vague. Dès qu'il eut repris son souffle, il chercha Néférouret autour de lui. Il cria son nom, mais seul le vent lui répondit. Désespéré, il se dit qu'il avait perdu celle qu'il venait à peine de retrouver. Son désir de vivre l'abandonna.

*   *   *

Là-haut, un vautour solitaire planait. Le soleil couchant s'était masqué derrière les épais nuages noirs qui pesaient encore sur l'horizon, du côté de la Grande Verte. Bientôt rejoint par plusieurs autres, le charognard décrivit de grands cercles autour de sa proie.

Sur le rivage, une femme gisait, recouverte de sable. Ses jambes ballottaient au gré des vagues et, parfois, une lame venait mourir devant elle, poussant des débris de bois ou de paniers. Lorsque le premier des vautours lâcha un cri rauque, elle souleva lentement la tête. Le charognard, à quelques pas, bec menaçant, la fixait de son regard stupide.

Néférouret bondit sur ses jambes et, tel un fauve, se rua en hurlant sur l'animal.

L'oiseau fit un bond en battant l'air de ses larges ailes, puis se mit à sauter dans la direction opposée et s'envola.

— Je ne suis pas encore morte! cria la jeune femme à pleins poumons. Ne comptez pas sur moi pour votre repas!

Maugréant des injures contre les vautours, Néférouret se laissa retomber sur le sable.

Elle scruta les alentours. Elle était seule sur cette plage.

Peu à peu, la nuit l'enveloppa de son voile mystérieux. Elle recueillit un bout de planche échoué sur la rive et creusa une niche dans l'une des dunes couvertes de hautes herbes qui s'avançaient jusqu'au bord de la mer. Fille de paysanne, elle n'était guère effrayée par la perspective de passer la nuit dans le sable. Son inquiétude portait sur un tout autre objet: «Pourvu que Sénab soit sain et sauf», se disait-elle en se rappelant les moments qui avaient précédé leur séparation.

* * *

Elle dormit longtemps. Le lendemain, un léger tintement l'éveilla. Elle se leva, cherchant d'où venait le curieux bruit. Elle aperçut des ombres qui cheminaient au loin, semblant danser à cause de la chaleur qui irradiait du sol. Son cœur se serra: «Des Némiou-sha*», se dit-elle.

«Amis ou ennemis? Peu importe, finit-elle par se dire, essayant de se convaincre qu'il valait mieux aller au-devant d'eux. Je serai découverte tôt ou tard. Mieux vaut garder l'avantage de l'initiative.»

Prenant son courage à deux mains, Néférouret se dirigea vers les ombres, qui semblaient s'évanouir à mesure qu'elle s'en approchait. Malgré sa grande faiblesse — elle avait perdu ses provisions dans le naufrage —, elle se mit à courir. Bientôt elle distingua des hommes, des femmes et des enfants poussant devant eux un troupeau de moutons qui portaient des clochettes de métal autour du cou. Quelques chèvres suivaient derrière. Les Némiou-sha étaient revêtus d'étoffes étranges, décorées de bandes rouges crénelées sur un fond beige. Lorsque les pasteurs aperçurent la jeune femme, le plus âgé fit signe aux autres de s'arrêter.

— Ta place n'est pas ici, parmi les dunes et les herbes sèches, dit le vieillard en s'approchant de Néférouret. Tu as perdu ta route, fille de Kémyet?

— Le navire qui m'emportait a fait naufrage.

— Je me nomme Amounenshi, dit l'homme avec un sourire bon enfant. Nous sommes de la

---

* «Marcheurs du désert», nombreuses tribus nomades qui habitaient les oasis dans le désert du Sinaï.

tribu des Némiou-sha du sud, et je suis leur chef.

— Je m'appelle Néférouret, répondit la jeune femme, mise en confiance par la candeur du vieillard.

— Viens! Nous allons te faire chauffer un peu de lait. Tu n'as pas mangé depuis longtemps, ça se voit. Notre nourriture sera aussi la tienne.

Néférouret se laissa conduire. Les enfants s'étaient approchés d'elle. Ils se parlaient à l'oreille puis éclataient de rire. Néférouret se dit qu'ils devaient se moquer de sa piteuse allure.

— Ne leur prête pas attention, dit Amounenshi en riant à son tour. Ce sont des gamins. Ils s'amusent de rien.

Après le repas servi par l'une des femmes, Amounenshi ordonna aux siens de reprendre la route. La petite troupe se mit en branle.

— Quelle direction guide vos pas, hommes du désert? demanda Néférouret.

— Nous allons à l'oasis voisine de Raphia*, répondit le vieillard. Mais, sois sans inquiétude. L'un de mes fils te conduira jusqu'à cette ville, où tu retrouveras les tiens.

Peu avant l'heure du zénith, la troupe avait traversé une zone de hautes dunes de sable gris dont les crêtes, s'entrecroisant pour former un damier, semblaient s'amuser à ralentir la marche des Némiou-sha.

------

* Sur la côte, au sud de Gaza.

Néférouret s'arrêta net, fixant un point sur le rivage à sa droite, et sembla retrouver subitement vie et courage: au-delà des dunes, au milieu des herbes balancées par le vent salé de la mer, elle crut voir un fantôme qui avançait dans la même direction qu'eux. Elle se mit à courir, le cœur battant à se rompre.

— Sénab! Sénab!

Le fantôme se retourna. À son tour il se précipita à la rencontre de Néférouret. Amounenshi, les yeux mi-clos, observait les deux jeunes gens qui s'enlaçaient et se couvraient de baisers. Le vieillard se dit que les dieux du désert savent, parfois, réjouir le cœur des hommes.

— C'est Horus qui nous a réunis sur sa route! s'écria Sénab, qui sentait sa poitrine éclater de bonheur*.

Les amants, étroitement enlacés, revinrent vers les nomades.

— Demain, vous serez de retour dans votre pays, leur dit joyeusement Amounenshi.

Sénab et Néférouret se turent. Ils savaient que leur route serait couverte d'embûches, et que même à Raphia, qui n'était pourtant qu'un poste avancé de Kémyet, l'ennemi les guettait.

*   *   *

---

* Le «Chemin d'Horus» était le nom donné par les Égyptiens à la route qui reliait le Delta du Nil à Gaza.

Le lendemain, Sénab et Néférouret prirent congé de leurs hôtes.

— Ptah te récompensera un jour pour ta générosité, dit Sénab à Amounenshi.

— Ces vêtements que vous portez sont le gage de mon amitié pour ton peuple, répondit le chef. Sais-tu que leurs couleurs vives vous donnent fière allure?

Sénab se sentit rougir en jetant un regard sur leur accoutrement. Devant le plaisir évident que les Némiou-sha avaient eu à les leur offrir, il n'avait pas osé leur dire son peu de goût pour ces étoffes dont il trouvait les couleurs pour le moins extravagantes.

— Mon fils aîné vous mènera jusqu'aux murs de Raphia, continua Amounenshi. Mais soyez prudents! L'homme de la ville ne pense qu'à s'enrichir, et il fait peu de cas des besoins de son cœur!

Sénab s'inclina et suivit son guide. Se retournant encore une fois pour faire un signe d'adieu à Amounenshi, il aperçut ce dernier entouré de son clan. Il envia, un instant, ces hommes libres qui parcouraient paisiblement le désert, entourés de leurs femmes et de leurs enfants.

 **14.**

Raphia n'avait rien d'une ville; elle paraissait bien modeste à côté des cités qui dominaient la côte, plus au nord. Mais, pour les nomades habitués aux vastes espaces, cet avant-poste militaire faisait figure de véritable métropole, et les murs dont elle s'entourait symbolisaient à leurs yeux un mode de vie qui leur inspirait la plus profonde méfiance.

Quand le petit groupe aperçut les murs crénelés du fortin qui se découpaient sur le vert des flots, la crainte s'empara du fils d'Amounenshi.

— Voilà où vivent les hommes qui ne sortent jamais! s'écria l'homme du désert.

— Il n'y a que des soldats qui vivent ici, expliqua Sénab, qui ne put s'empêcher de sourire, mais ils n'ont pas le même courage que les Némiou-sha.

Le fils d'Amounenshi, sensible à la flatterie, bomba le torse. Du chemin de ronde qui couronnait le mur de brique, un officier et un soldat observaient attentivement les trois intrus.

— Qui va là? appela le garde.

— Mon nom est Iadou, répondit le Maître de l'art, qui préférait cacher sa véritable identité, et voici ma femme. Je suis au service du Nésou-bity Khoufou et je fais le commerce sur la Grande Verte. Mon navire a fait naufrage. Sans ces généreux Némiou-sha, c'est Maat* qui nous interrogerait à l'heure qu'il est.

— Qu'on les laisse entrer! ordonna l'officier.

Sénab se retourna vers son guide, mais ce dernier avait déjà pris ses jambes à son cou pour rejoindre les siens. Les deux battants qui fermaient le portail s'écartèrent lentement. Sénab et Néférouret pénétrèrent dans le fort et aperçurent l'officier qui venait à leur rencontre.

— Puisque vous êtes des enfants de Terre Noire, déclara ce dernier, dépêchez-vous de vous défaire de ces vêtements ridicules! Vous êtes mes hôtes. Je vous fournirai de quoi vous vêtir convenablement et vous nourrir pendant tout le temps où vous resterez à Raphia.

— Nous te remercions de ton accueil, dit Néférouret, mais mon époux et moi désirons rentrer à Mur Blanc le plus rapidement possible.

---

* La déesse Maat préside le jugement dernier des «âmes» qui atteignent l'au-delà.

L'officier les invita à le suivre d'un geste sec de la main. En gravissant l'escalier qui menait au chemin de ronde, Sénab aperçut un bateau de faible tonnage qui mouillait devant le fort.

— Un navire côtier!

— Il appartient à un des marchands qui nous ravitaillent, expliqua l'officier.

— Il vient de Kémyet?

— Non! Celui-là arrive de Gadjati. Il fait l'aller-retour une fois par mois, sous les ordres d'un «ìmy-ra per-aâ*» de notre dieu Khoufou.

— Il faut que je lui parle! déclara Sénab, pris d'une soudaine agitation.

— Tu le trouveras à l'entrepôt, là-bas.

Le militaire avait désigné un large portail qui s'ouvrait sur la cour intérieure du fortin. Sénab et Néférouret dévalèrent la volée de marches et traversèrent la cour à toute vitesse, au grand étonnement de quelques soldats étendus à l'ombre, où ils essayaient de se réfugier dans le sommeil pour oublier la chaleur écrasante.

— Attends-moi ici, dit-il à Néférouret. Je vais aller discuter avec lui.

Quelques instants plus tard, le jeune homme ressortait de l'entrepôt, l'air embarrassé.

---

* «Surintendant de la Grande Maison.» Titre porté par un fonctionnaire du palais, en poste à Gadjati.

— Il repart vers le nord, expliqua-t-il.

— Un vrai marchand ne rate jamais une bonne occasion. Que lui as-tu offert pour le dédommager? demanda Néférouret.

— Des bijoux, que je pourrais lui remettre une fois arrivé à Mur Blanc. Mais comme je n'ai rien à lui montrer, il s'est moqué de moi.

— Viens avec moi! répliqua la jeune fille avec détermination.

Prenant son ami par le bras, elle l'entraîna dans l'entrepôt. Un homme leur tournait le dos et comptait les sacs de grains empilés devant lui.

— Huit, neuf, dix...

— Combien réclames-tu, marchand, pour nous conduire jusqu'à Mur Blanc?

Étonné d'entendre résonner une voix féminine dans cette ville de garnison, le marchand se retourna. Il arborait la même barbe pointue que les autres marchands de Gadjati, et Sénab ne put s'empêcher de penser à Manios tenant compagnie à son or au fond de la Grande Verte. Le visage du marin s'illumina:

— Par tous les dieux des mers et de la terre! s'exclama-t-il de sa voix nasillarde. C'est Hathor elle-même qui offre à mes yeux une si gracieuse beauté!...

— La beauté de Hathor est plus grande encore! coupa sèchement Néférouret. Combien réclames-tu pour nous conduire à Mur Blanc, mon époux et moi?

— Le métal dont est fait la chair des

dieux* remplirait mon cœur d'une délectable satisfaction..., répondit le marchand en glissant son calame sur son oreille. Mais je crains fort que tu ne puisses combler les attentes de ton humble serviteur.

Néférouret se retourna pour soulever sa tunique. Elle fouilla dans le seul sac de cuir qu'elle avait sauvé du naufrage et qu'elle portait attaché à la taille, sous ses vêtements. À la grande surprise de Sénab, elle en retira trois énormes pépites d'or qu'elle jeta vivement sur le sol, aux pieds du marchand:

— Voilà pour ta peine! Tu en as pour un demi-dében**. Est-ce suffisant?

L'homme s'accroupit et, d'un geste vif, s'empara des trois cailloux couleur de soleil.

— Si la noble dame le désire, nous partons sur-le-champ! balbutia l'homme sans pouvoir détacher ses yeux des pépites qu'il faisait rouler dans sa main.

«L'or de ce vil Manios n'aura pas été inutile, songea Sénab. Heureusement que Néférouret a eu la présence d'esprit d'en emporter un peu!»

Le Maître de l'art avait peine à reconnaître, sous les airs royaux de sa bien-aimée, la jeune fille timide qu'il avait connue jadis dans son village. Son séjour au harem lui avait donné un aplomb qui forçait le respect; il

---

* L'or et l'argent servaient, en Égypte, à façonner les statues des divinités.

** Ou 45 grammes.

était évident que la jeune femme y avait pris l'habitude de commander et d'être obéie.

*　　*　　*

Grâce aux vents propices, le petit navire avait filé jusqu'à l'embouchure de la branche du Nil qui menait à Béhedet*. Sénab avait eu le temps de raconter en détail à Néférouret toutes les intrigues qui se tramaient au palais et au chantier.

Leurs cœurs se serrèrent quand ils aperçurent les plaines verdoyantes du pays du papyrus**. Quelques bouviers poussaient leurs troupeaux de bêtes à longues cornes; d'autres portaient sur leur dos les veaux trop jeunes pour franchir les marécages qui bordaient le fleuve.

Plus loin, des paysans moissonnaient le blé et leurs faucilles de cuivre jetaient des éclats au soleil chaque fois qu'ils levaient le bras, au rythme cadencé de leurs chants.

Le navire glissa en silence devant Béhedet, puis doubla Teb-néter. Le soir tombait lorsqu'il arriva en vue de Hout-ta-héry-ièb; Sénab était inquiet.

— Le marchand tient à se rendre au palais, murmura-t-il à Néférouret. Je vais lui demander de nous laisser sur la rive juste au

---

* Ville située dans le Delta central.

** Les Anciens Égyptiens désignaient ainsi la basse-Égypte, ou encore le «Pays du Nord».

sud de Hout-ta-héry-ièb. Nous regagnerons la capitale par nos propres moyens, c'est plus sûr.

Lorsqu'il fit part au marchand de son intention de mettre un terme à son voyage, l'homme lui jeta d'abord un regard curieux:

— Tu m'avais pourtant dit que tu habitais la campagne aux environs de Mur Blanc...

— Mon frère est prêtre au temple de Kemwer*, tout près d'ici, expliqua Sénab. Nous allons lui rendre visite.

Plissant les yeux, le marchand reprit:

— Que cherches-tu à fuir? Es-tu un ennemi de l'Horus de Kémyet?

Sénab recula d'un pas.

— Je te défends de me traiter d'ennemi de notre dieu vivant! se récria-t-il. Nous t'avons payé pour nous ramener à Kémyet, pas pour poser des questions.

Le marchand fixa Sénab d'un long regard suspicieux, puis il haussa les épaules et cria un ordre au matelot qui tenait le gouvernail. Le navire changea aussitôt de cap. Alors qu'ils allaient toucher la rive, les marins firent une nouvelle manœuvre afin de placer la proue recourbée face au vent. L'un d'eux défit le cordage qui retenait la voile unique et celle-ci tomba à ses pieds.

— Je ne sais qui vous fuyez ainsi, dit le marchand. Peut-être le Nésou-bity vous pour-

---

* Divinité représentée par un grand taureau noir.

suit-il de sa colère. Si c'est le cas, sachez qu'il vous trouvera, où que vous soyez!

Les deux jeunes gens n'écoutaient déjà plus l'homme de la Grande Verte. Le navire avait à peine touché la rive qu'ils avaient sauté par-dessus bord, dans la vase profonde.

Jetant un dernier regard vers le navire qui s'éloignait, Sénab et Néférouret entreprirent de longer le fleuve. Il faisait presque nuit. Les jeunes gens marchaient sur la rive, s'imposant de longs détours pour éviter les feux. Ils entrèrent furtivement dans un village de pêcheurs où, sans alerter les habitants, ils s'emparèrent d'une barque de papyrus. Pagayant doucement chacun à leur tour, toute la nuit, ils remontèrent l'étroite voie d'eau. Le lendemain, ils durent s'arrêter, épuisés. Ils mendièrent quelques vivres à des paysans qui avaient l'air inoffensif. Puis se réfugiant dans un bosquet de papyrus isolé, à l'ombre dense du village, ils dormirent serrés l'un contre l'autre au fond de la barque pendant les heures chaudes de la journée.

La nuit suivante, ils reprirent leur route vers le sud. Au petit matin, atteignant l'extrême pointe du delta, ils aperçurent, à leur gauche, les tours crénelées de la muraille d'Onou. Malgré le courant devenu beaucoup plus fort, ils remontèrent le fleuve jusqu'au pied de la Montagne Rouge qui s'élevait sur la rive droite du fleuve, un peu au nord de Mur Blanc. N'en pouvant plus d'être confinés à l'espace étroit que leur offrait leur esquif, ils décidèrent de l'abandonner dans les joncs et d'escalader la falaise. À mi-chemin, ils trouvèrent une anfractuosité dans le rocher et décidèrent d'y passer la nuit.

— Regarde-nous! maugréa Sénab. Nous agissons en criminels! Nous servons notre Seigneur comme les meilleurs de ses sujets et nous en sommes pourtant réduits à vivre dans le désert, tels les scorpions et les serpents!

— Gagnons rapidement Mur Blanc, dit Néférouret. Je vais aller voir Khoufou, et je t'assure que ceux qui ont osé m'enlever vont subir leur juste châtiment. Je ne donnerais pas cher de leur peau.

— Tu as peut-être raison, mais le problème est de parvenir à Khoufou en déjouant tous les comploteurs qui l'entourent. Comme je les connais, ils n'ont rien laissé au hasard. Je me demande bien d'ailleurs quelle raison ils lui ont donnée pour expliquer ta disparition?

— Je l'ignore, mais je saurai bien convaincre Khoufou que ma version est la bonne.

— Tu sais, je préférerais nous sortir de ce pétrin sans avoir à recourir à ton influence auprès de lui.

— Ce n'est pas le temps de faire le jaloux, Sénab. Tu sais très bien que je ne suis qu'épouse en titre.

— En tout cas je n'avais pas mérité un tel sort. Dire que j'ai sacrifié les plus belles années de ma jeunesse à déchiffrer des papyrus et à résoudre d'interminables problèmes de calcul pour finir comme un vagabond du désert! Si j'avais su...

— Cesse de gémir! coupa la jeune femme, posant doucement sa main sur le bras de Sénab. La paix et l'ordre au Pays des Deux Terres dépendent de nous. Si ses ennemis nous rattrapent, c'est la fin de Khoufou et la fin du temple de Ptah. Il faut nous rendre au palais sans tarder.

— Non, ce serait nous jeter dans les griffes de nos ennemis. Il vaut mieux retourner à notre village pour nous y cacher en attendant que notre situation s'améliore.

— Que proposes-tu? demanda Néférouret.

— Dès demain, nous suivrons la rive jusqu'à ce que nous nous trouvions face à notre village, et là nous dénicherons une barque qui nous portera de l'autre côté.

— Bonne idée! Je suis d'accord.

— Mais espérons que personne ne nous tombera dessus.

— Courage, Sénab! soupira la jeune femme. Rappelle-toi ces paroles de Hardjédef*: «Seul un homme au cœur solide peut espérer paraître devant le dieu.» Nous ne sommes pas encore à court de ressources, et nous nous en sortirons!

Sénab serra la jeune femme sur sa poitrine. Épuisés, ils s'allongèrent dans le creux du rocher. Au-dessus d'eux, la lune, toute ronde, se levait au milieu du désert. Sur

---

* Sage égyptien, fils de Khoufou.

l'autre rive, la per-djet de Khoufou, abandon-
née, dressait sa masse inachevée dans la lumière blafarde.

* * *

Avant même le lever du soleil, Sénab et
Néférouret avaient quitté leur refuge et traversé la mince bande de verdure qui s'étendait
jusqu'au fleuve. Évitant les paysans qui travaillaient aux champs, ils gagnèrent la rive à
la course. Non loin de là, plusieurs embarcations avaient été tirées sur la terre ferme.

— Voilà notre salut! s'exclama Sénab. Faisons vite avant que les paysans ne nous sur-
prennent.

Poussant l'une des barques à l'eau, Sénab
saisit la main de Néférouret et souleva la
jeune femme au-dessus des vagues. Il la
déposa dans la barque puis, se hissant hors de
l'eau, grimpa à son tour dans la frêle embarcation. L'épouse royale avait saisi une des
rames qui gisait au fond de la barque et, dès
que Sénab se fut installé, se mit à pagayer
avec vigueur.

— Et si on est surpris par l'un des navires
du Nésou-bity? demanda la jeune femme.

— Nous jouerons aux amoureux égarés sur
le fleuve!

Néférouret esquissa un sourire:

— Je devine que c'est un jeu où tu sauras
exceller.

— Lorsqu'il s'agit de me montrer con-

175

vaincant, répliqua Sénab, riant à gorge déployée, je suis prêt à tout...

— Que Min* ne t'entende surtout pas! soupira Néférouret, moqueuse.

— Dirige-toi vers la palmeraie que tu vois là-bas, lui dit Sénab en indiquant l'autre rive. Notre village est juste derrière.

Néférouret donna un violent coup de rame. La barque se cabra.

— Un navire! s'écria Sénab qui scrutait attentivement le fleuve.

— Il porte le fanion de Khoufou, ajouta Néférouret.

— Je crois qu'ils nous ont vus, cria Sénab.

— Ils ne peuvent pas nous reconnaître; ils sont trop loin.

Le navire royal, faisant route vers le nord, avait baissé sa voile et se laissait porter par le courant.

Sénab rentra la tête dans les épaules, comme s'il eût voulu se faire tout petit. L'imposante nef passa impassiblement son chemin. Sénab la suivit des yeux; lorsqu'elle fut au-delà de Mur Blanc, elle dirigea sa masse sombre vers l'embouchure du grand canal.

— Ouf! soupira Sénab. Nous sommes sauvés! Ils vont à Akhet-mer.

La barque s'immobilisa dans les roseaux; le jeune homme sauta à l'eau. Saisissant le tronc d'un arbuste, il retint la proue de

_____

* Le dieu égyptien de la virilité.

l'embarcation afin que Néférouret puisse débarquer à son tour.

— Partons! s'écria-t-il en repoussant la barque du pied. Que Ptah nous protège! Nous sommes presque arrivés...

Sénab ne put terminer sa phrase. Alors que les deux jeunes gens grimpaient sur la grève, une dizaine de soldats surgirent de derrière les arbres, pointant vers eux leurs lances.

— Sénab, fils de Ptahméry! fit une voix qu'il connaissait bien, tu es un ennemi de Khoufou.

Il crut rêver quand il aperçut Qar au milieu des soldats.

— C'est un cauchemar que Bès m'envoie! s'écria-t-il en jetant un regard implorant à Néférouret.

— Nous t'attendions, déclara l'Ami unique en s'approchant de lui.

Sénab recula d'un pas.

— Rends-toi! continua Qar, qui, décidément, avait l'air bien content de lui. Le marchand qui vous a ramenés de Raphia est arrivé hier au palais. Il a avoué avoir laissé sur le rivage de Hout-ta-héry-ièb un homme et une femme à l'air louche. Grâce aux signalements qu'il m'a donnés, j'ai pensé que cela ne pouvait être que vous et que vous reviendriez vous cacher ici si vous étiez encore vivants. J'avais vu juste.

— Je ne parlerai qu'à Khoufou, et à personne d'autre, déclara fièrement Néférouret.

Qar, ignorant les paroles de l'épouse royale, s'approcha de Sénab.

— Rends-toi, traître! Et rends à Khoufou la femme que tu lui as enlevée!

Un attroupement de paysans s'était formé autour des soldats.

Sénab poussa Néférouret devant lui, cherchant à percer la ligne des soldats. L'un des gardes rattrapa la jeune femme et lui mit la main sur la bouche. D'autres levèrent leur arme vers Sénab:

— Nul ne fuit devant le Lion rugissant*! cria Qar.

Sénab se pencha, prit une poignée de terre et la lança au visage du soldat qui se trouvait devant lui. L'homme se plia en deux en criant de douleur. Avant même que les autres n'aient eu le temps de réagir, il avait fait volte-face et courait vers le fleuve.

— Arrêtez-le! cria le chef des soldats.

Sénab entendit les lances lui siffler aux oreilles. Il se mit à faire des bonds d'un côté à l'autre pour éviter les jets mortels. Il ressentit soudain une vive douleur au mollet droit. Il s'arrêta net, se pencha et saisit à deux mains la hampe lisse d'une lance. D'un geste vif, il retira la pointe acérée qui avait pénétré profondément sa chair. Ses mains étaient couvertes de sang.

---

* Expression qualifiant le pharaon face à ses ennemis.

— Par Bastet! murmura Sénab, ils n'auront pas ma peau!

Sautant à cloche-pied, il réussit à atteindre le rivage et plongea dans le Nil. Oubliant sa douleur, il se mit à nager, dans le sens du courant.

— Suivez-le de la rive! ordonna Qar. Je vais chercher une barque. Ne le perdez pas de vue!

Sénab sentait déjà ses forces l'abandonner. Le mouvement de ses bras ralentissait malgré lui.

— Il coule à pic! cria un homme.

— Hapy l'emporte auprès de Maat, ajouta son compagnon.

Le corps de Sénab disparut dans les flots.

— Arrêtez! dit l'un des soldats. C'en est fini de lui!

 **15.**

— J'ai cru qu'il était mort.

— Il a perdu beaucoup de sang.

— Osiris n'a pas voulu de lui!

Les deux paysans étaient penchés au-dessus du corps inerte du Maître de l'art. Ils avaient quitté leur champ en voyant les gardes arrêter un homme et une femme. Ils avaient tout de suite reconnu Sénab et Néférouret, mais n'avaient pas osé affronter la force brutale des gardes du palais pour les délivrer. Dès que les soldats s'étaient éloignés, ils s'étaient précipités pour tenter de sauver Sénab d'une mort certaine. Puis ils l'avaient recueilli, inconscient, au milieu des fourrés de papyrus.

— Il a bougé, dit le premier.

— Ni...Niou...sé...ra...

— Il appelle le grand-prêtre de Ptah! remarqua le second. Pauvre Sénab! S'il savait!

— Épongez-lui le visage! dit une femme qui entrait dans la pièce. Il est fiévreux. C'est à cause de sa blessure.

— Que l'un d'entre vous aille chercher mon fils! reprit le premier. Je crois que le Maître de l'art ouvre les yeux.

Sénab souleva les paupières et tourna lentement la tête.

— Ne bouge pas, mon garçon! dit la femme. Tu es en sécurité avec nous. Nous savons qui tu es. Notre fils nous a parlé de toi.

— Il est revenu à lui? demanda une voix qui venait de la pièce voisine.

— Démout! fit faiblement Sénab.

Le pâtissier du temple de Ptah entra dans la pièce et s'approcha du jeune homme.

— Je devine ton étonnement, Maître de l'art. Tant de choses se sont passées depuis ta disparition.

— Khoufou, notre seigneur et maître... règne-t-il toujours sur les Deux Terres?

— Il règne sur terre comme Rê dans le ciel.

— Et Niousséra? Tu as des nouvelles du grand-prêtre?

Cette fois, Démout évita le regard de Sénab. Il resta silencieux un moment.

— Niousséra nous a quittés, déclara-t-il enfin. Les embaumeurs ont reçu son corps, il y a de cela quatre jours. Il a succombé à son chagrin.

— Qu'Osiris, le Seigneur de l'Occident, le reçoive en sa demeure, murmura Sénab, dont les yeux se gonflèrent de larmes.

Le jeune homme frissonna; un grand froid l'avait envahi. Celui qui l'avait initié à la vie et au savoir, son véritable père, l'avait quitté pour toujours, sans même lui dire un dernier adieu.

— Et toi, Démout? reprit Sénab. Tu es toujours du monde des vivants...

— C'est grâce à la bonté de Niousséra, déclara le pâtissier. Le bruit a couru que tu avais déserté le chantier et que tu fuyais Kémyet après avoir enlevé Néférouret. La colère de Khoufou était à son comble. Il a décidé de faire payer les prêtres de Ptah pour ta trahison. Ce jour-là, qui devait être le dernier de son existence, Niousséra avait appris qu'il allait être conduit devant le Nésou-bity. C'était un ordre du palais. Craignant le pire, il m'a dit de fuir le temple. Avec l'aide de ma famille, j'ai pu échapper aux hommes de main qui venaient arrêter les prêtres. Le lendemain, j'ai appris que le Ka de notre vénéré grand-prêtre l'avait quitté.

Sénab ferma les yeux et poussa un profond soupir. Il tenta de se relever mais, trop faible, retomba sur la paille.

— Je dois me rendre au palais, dit-il d'une voix altérée par le désespoir. Khoufou est en danger... Néférouret... La pleine lune... Itaou...

— Il délire à nouveau, constata la femme en lui passant la main sur le front. Laissons-le dormir. Demain, il ira beaucoup mieux.

*   *   *

Le vent s'était levé. Des tourbillons chargés de sable du désert s'abattaient sur la vallée. Les villageois s'étaient enfermés chez eux pour attendre l'accalmie.

— Cela fait deux jours que nous sommes cloués ici, tonna Sénab, étendu sur un banc contre le mur de la chambre commune.

— Patience! dit Démout. Tu n'es pas encore en état de gambader dans les champs!

— Le lait au miel que ta mère m'a servi ces derniers jours m'a complètement remis, insista Sénab. Si ce n'était de la douleur...

— Pour que ton plan réussisse, tu auras besoin de toutes tes forces.

Sénab fixa un moment le vide, droit devant lui.

— Ma décision est prise, s'écria-t-il soudain en s'assoyant. Je n'ai pas l'intention d'attendre plus longtemps.

— C'est de la folie! s'écria Démout. Même un chacal ne mettrait pas le museau dehors par un temps pareil.

— Reste ici si tu crains la colère de Seth! Moi, je pars.

Sénab se leva, prit un couteau qu'il avait laissé sous le banc, saisit trois outres pleines d'eau appuyées contre le mur et sortit dans la tourmente. Dehors, le sable lui cingla la figure.

— Attends-moi! cria une voix, derrière lui.

Démout arrivait en courant.

Sénab sourit et tendit l'une des outres à son compagnon. Ils cheminèrent un instant à reculons, dos au vent, pour arriver à échanger quelques mots.

— Tu avais raison, concéda Démout. Avec

cette tempête, nous pourrons nous approcher de la prison sans être vus.

— Tu es courageux, Démout. Sache que ton amitié m'est très précieuse aujourd'hui.

Les deux jeunes gens contournèrent les maisons de brique du village, puis se dirigèrent vers le nord, avec la masse sombre de la falaise à leur gauche comme seul point de repère. Au pied du rocher, le vent soufflait avec moins de violence. Se retournant tous les trente pas pour reprendre leur souffle, ils marchaient aussi vite qu'ils le pouvaient dans le sable qui fuyait sous leurs semelles. Sénab grimaçait lorsque sa jambe lui faisait trop mal. Ils aperçurent enfin la prison.

— Nous allons nous attaquer au mur arrière, cria Sénab pour se faire entendre malgré le vent.

Quand ils furent tout contre l'édifice, il désigna une outre.

— Verse l'eau lentement, ordonna-t-il.

Démout vida la première outre sur la base du mur de brique.

— Passe-moi le couteau, maintenant.

Sénab saisit à deux mains le manche de l'arme et en enfonça la pointe dans le limon durci. Sous l'effet de l'eau, la brique commençait à ramollir. Appuyant de tout son poids sur la lame, il réussit bientôt à détacher un morceau de maçonnerie.

— Ça marche! lança-t-il.

— Je te l'avais dit. La prison est vieille et ses murs sont devenus très friables.

Les deux compagnons redoublèrent d'efforts. Ils eurent bientôt creusé un trou assez grand pour s'y glisser.

— Tu vois quelque chose? demanda Démout.

— Nos calculs étaient justes, répondit Sénab. Le trou donne dans la salle de torture. Il n'y a personne. Depuis qu'ils ont fait courir le bruit que j'étais seul coupable de tous les méfaits, ils n'ont plus besoin de torturer personne! Les gardes doivent jouer au sénet de l'autre côté de l'édifice.

Démout suivit Sénab à l'intérieur.

— La porte est droit devant nous, précisa Sénab, en prenant son compagnon par le bras. Il fait si sombre, c'est une vraie chance que nous soyons déjà venus ici et que nous connaissions bien les lieux!

Sénab et Démout avançaient à pas de loup. Sénab poussa la porte de la main. Elle tourna lentement sur ses gonds sans offrir la moindre résistance. Ils se retrouvèrent au bout d'un grand couloir sombre, de part et d'autre duquel se découpaient un grand nombre de portes, toutes semblables.

— Occupe-toi des cellules de droite, murmura-t-il. Moi, je vais à gauche.

Le Maître de l'art s'arrêta devant la première cellule. Il prononça à voix basse le nom d'Itaou.

— Qui est là? Est-ce toi, Sénab?

Le jeune homme avait reconnu la voix d'un des prêtres de Ptah, mais il s'éloigna de la cellule sans broncher. Il recommença le même manège à une deuxième, puis à une troisième porte. Chaque fois, l'occupant de la cellule répondait à son appel, cherchant à reconnaître celui qui errait ainsi dans les couloirs. Les appels des prisonniers étaient répercutés par les murs de la prison. Sénab se dit qu'il devait trouver vite, sinon le tumulte alerterait les gardes.

Enfin, à la cinquième cellule, ce fut la voix du Nubien qui lui répondit.

— Je suis là. Qui me demande?

Sénab fit glisser la barre de bois qui fermait la porte. Puis il l'ouvrit doucement:

— C'est moi. Suis-moi en silence! Fais vite!

Sidéré, Itaou resta un long moment les yeux exorbités et la bouche béante. Puis la joie inonda son visage et il réussit à prononcer quelques paroles.

— Sénab, que fais-tu là?

— Commence par me suivre, je t'expliquerai ensuite.

Vif comme le lièvre, le Nubien bondit et se faufila à la suite du Maître de l'art. Ils revinrent à la salle des tortures.

— Vous voilà enfin! dit Démout en désignant le corps d'un garde étendu et ficelé par terre. Une chance qu'il n'a pas pris la fantaisie à ce garde de visiter chacune des cellules.

— Qu'est-ce qu'il fait ici, celui-là? demanda Sénab.

— Il passait. J'ai fait du bruit; la curiosité

a eu raison de cet imbécile! Il s'est approché et je l'ai assommé.

— Bien joué! dit Sénab.

— Je te croyais mort! commença Itaou. Et veux-tu bien me dire quelle mouche t'a piqué d'enlever Néférouret? Je t'avais pourtant prévenu de ne pas la mêler à tes ennuis...

— Idiot, ce n'est pas moi qui l'ai enlevée, mais *eux*. Ils ont raconté partout que c'était moi pour attirer la colère de Khoufou sur le clergé de Ptah.

— Et toi, où étais-tu passé?

— Je t'expliquerai cela plus tard. Pour le moment, j'ai besoin de toi. Démout m'a raconté que mes parents et mes amis avaient été arrêtés. Alors, j'ai pensé que je te trouverais ici.

— Ta famille n'est pas à la prison; je ne sais pas où ils les ont amenés.

— Sais-tu où est Ankh?

— Je n'ai pas entendu dire qu'il était ici. C'est étrange, car tous les autres prêtres de Ptah sont sous les verrous.

— Qu'importe, dit Sénab, nous nous passerons de lui! Maintenant, filons!

*　　*　　*

Ils avaient de nouveau bravé la tempête pour retrouver la sécurité de l'humble maison de Démout. Là, ils purent analyser calmement la situation. Sénab raconta ses aventures sur la Grande Verte et au pays des Némiou-sha.

— Que comptes-tu faire? demanda Itaou.

— Il faut retrouver les plans d'Akhet-mer. Puisque le fameux bracelet volé par Nèni a disparu par le fond avec les richesses de Manios, il ne nous reste plus que ces papyrus comme moyen de confondre le véritable coupable. Et il faut que nous retrouvions Néférouret sans tarder. Je crains pour sa vie. Elle est devenue la cible des rebelles tout autant que moi, et par ma faute!

— Par où allons-nous commencer?

— Par Qar.

— Tu es fou! rétorqua Démout. C'est ton pire ennemi. Ne te jette pas dans ses filets. Je ne suis pas sûr qu'il nous accorde une seconde chance de nous évader!

— Je crois, au contraire, que Sénab a raison, déclara Itaou. Ce sont les partisans de Rê qui sont responsables des troubles. Tout le monde sait au palais que Qar n'est d'aucun parti. Son seul souci est de faire plaisir à Khoufou, et sa conscience a toujours eu un rôle très limité dans sa conduite. C'est donc, de tous les personnages importants du royaume, le plus facile à intimider. C'est un lâche et un flagorneur.

— Nous allons nous rendre chez Qar, l'Ami unique de Khoufou, résolut Sénab. Je compte sur toi, Itaou, pour l'impressionner par ta force.

— Et ensuite? demanda Démout.

— Qar est chargé de l'enquête. En prenant le contrôle sur lui, nous augmenterons nos forces. Que Ptah nous vienne en aide, et nous retrouverons les plans sacrés, même s'il faut fouiller tout le palais et toute la ville.

— La nuit approche, déclara Démout. Et le calme semble être revenu.

— Dès qu'il fera tout à fait noir, nous partirons.

— Tu es certain de pouvoir reconnaître sa villa? demanda Itaou.

— Oui, répondit Sénab, elle ne se trouve pas très loin de celle qui était mienne... il n'y a pas si longtemps.

— Je m'y rendrais les yeux fermés! affirma Démout. J'y suis allé, un jour, porter un message de la part de Nioosséra, et ma mémoire est comme celle des grands livres du temple!

— Ta mémoire? rétorqua Sénab. Tu ne peux même pas retenir dix signes sacrés!

— Mais, pour les lieux, je suis imbattable!

*   *   *

La tempête s'était calmée. Le souffle de Seth, apaisé, laissait les sables du désert en repos. Le village des nobles comprenait une vingtaine de grandes demeures entourées d'un mur de brique, à hauteur d'homme. Peu de chose les distinguait les unes des autres et il fallut toute l'attention de Démout pour se rappeler laquelle appartenait à Qar.

En approchant des villas, Sénab ne put s'empêcher de se demander, avec un serrement de cœur, si Khoufou avait déjà donné la sienne à quelqu'un d'autre lorsqu'il était tombé en disgrâce.

— Je crois que nous y sommes, déclara Démout après une longue hésitation.

— Tu crois! s'écria Sénab avec une pointe de sarcasme. Je pense plutôt qu'il s'agit de celle-là, en face.

— J'étais venu du côté du fleuve, se défendit Démout. Mais cette fois, nous arrivons par la falaise. Je suis certain qu'il s'agit bien de celle-ci.

— Je passe le premier, coupa Itaou, impatient. Lorsque je serai de l'autre côté du mur, je vous ferai signe.

Le Médjaï sauta et s'agrippa au sommet du mur. Il s'y hissa sans difficulté et un bruit sourd indiqua qu'il avait sauté dans le jardin.

— Venez! murmura-t-il. Il n'y a personne.

Démout fit la courte échelle à Sénab, puis se lança à son tour à l'assaut du mur.

— Voyez les greniers à grain derrière la maison, dit Sénab.

Il désigna deux formes arrondies sous la lumière des étoiles, derrière le rectangle bas que formait la maison.

— La porte de la cuisine doit être à côté.

Avançant à croupetons, Sénab prit la tête de la file qui, tel un serpent nocturne, glissa entre les arbres du jardin. Blottis contre l'un des greniers, les compagnons aperçurent une lampe qui brûlait à l'intérieur.

— Je m'occupe du veilleur, dit Itaou à voix basse.

D'un bond, il atteignit l'entrée de la cuisine. Quelques instants plus tard, il réapparut, signalant à ses amis que la voie était libre.

Seules quelques braises luisaient encore dans le foyer central. Des amphores d'argile aux formes effilées étaient alignées le long des murs tout autour de la pièce tandis que, sur les tables, s'empilaient les plats chargés des reliefs du repas du soir que les domestiques avaient rapportés de la salle d'hôte.

— Il n'a offert aucune résistance, expliqua Itaou en désignant un vieil homme qu'il avait attaché et bâillonné. Je l'ai ligoté solidement.

— Demande-lui si nous sommes bien chez Qar, fit Sénab.

L'homme, tremblant de peur, fit un signe affirmatif.

— Ma mémoire vaut bien la tienne! déclara Démout.

— Tais-toi! rétorqua Sénab. C'est Thot qui a guidé tes pas, non ta mémoire, qui est vide comme un sac de grain percé.

— Chut, fit Itaou. Nous sommes ici pour Qar, non pour assister à vos joutes de scribes!

Itaou pénétra dans la salle d'hôte et longea le mur couvert de stuc blanc. Les portes des chambres s'ouvraient tout autour de la grande pièce.

— Restez ici, dit-il à ses compagnons. S'il vient d'autres serviteurs, saisissez-vous d'eux. Personne ne doit quitter cette maison!

Démout continua vers l'avant de la demeure tandis que Sénab s'apprêtait à bloquer toute issue vers l'arrière. Quand ses compagnons furent en place, Itaou souleva la tenture qui fermait la chambre à coucher du maître et s'approcha du lit.

Une veilleuse brûlait dans la pièce. Le Nubien se rapprocha lentement du dormeur et se faufila à la tête du lit. Parfaitement immobile, il ressemblait à un lion qui s'apprête à bondir sur sa proie. Soudain, il abattit sa large main sur le visage de Qar et lui encercla le cou de son bras libre. Le vieil homme, étouffant, se mit à se tortiller sur son lit.

Sénab pénétra à son tour dans la pièce. Saisissant un briquet de pierre sur la table de chevet, il alluma une lampe. La flamme s'étira et illumina bientôt la pièce. Le Maître de l'art sortit un long couteau.

À la vue du jeune homme, Qar se mit à frétiller de plus belle. Sénab posa la pointe de son arme sous l'oreille de l'Ami unique.

— Pas un cri! Sinon, tu es bon pour le grand voyage!

Le courtisan se raidit et retint son souffle.

— Tu avais cru te débarrasser de moi, vil comploteur! déclara Sénab avec arrogance. C'est moi, maintenant, qui tiens ta vie entre mes mains.

— Il n'y a aucun risque que les domestiques nous entendent, dit Démout en passant la tête dans la porte, ils dorment tous de l'autre côté de la maison.

— C'est le moment de montrer qui tu sers, du Nésou-bity ou des rebelles, reprit Sénab, le couteau collé sur la gorge de Qar. Et n'essaie pas de déjouer Maat!

Itaou ôta sa main de la bouche du courtisan.

— Je... Je ne comprends pas..., balbutia celui-ci, tremblant de tout son corps. Je suis un Ami unique... de notre Seigneur bien-aimé...

— Cesse de te répandre en protestations. Raconte-nous où vous avez caché ces plans que vous m'avez dérobés si lâchement. Dis-nous ce que trament Oussérê et Nèni...

— Oussérê... Nèni... Des plans... Mais je ne sais pas ce que tu veux dire!

— Tu le sais très bien. Tu étais à la cour chaque fois que je suis allé me plaindre à Khoufou et chaque fois que Niousséra et moi nous avons essayé de le mettre en garde contre ses ennemis.

— Je te jure que je ne sais rien! Je ne fais qu'obéir aux ordres du dieu vivant...

— Ne te dérobe pas par des mensonges pour lesquels Maat saura te punir sans miséricorde, Qar. Nous savons que tu es leur complice.

— Non, je te le jure!

Qar secouait vigoureusement la tête en essayant de saisir sa perruque qu'il avait laissée sur la table de chevet.

— En voilà assez! cria Sénab en appuyant la pointe de sa lame sur la gorge plissée de Qar. La souffrance vient toujours à bout des lâches.

— Non! Pas de violence! cria Qar d'une voix blanchie par la peur. Je dirai tout ce que tu voudras...

— Raconte plutôt la vérité! rétorqua Sénab.

— La vérité? fit Qar, se ressaisissant. Que Bastet me foudroie si je mens! J'ignore ce dont tu parles, Sénab. Tu crois que je fais partie d'un complot. Je t'affirme qu'il n'en est rien. Je n'ai aucun moyen de te convaincre, mais je t'assure que c'est la stricte vérité.

— Il ment comme il respire, ce chacal! s'écria Itaou, resserrant son étreinte.

— Arrête! Arrête! supplia Qar qui, visiblement, n'en pouvait plus. C'est vrai qu'Oussérê et Nèni complotent. Je ne les aime pas non plus, car ils m'ont toujours méprisé. C'est vrai aussi qu'ils ont une mauvaise influence sur Khoufou. Mais, jusqu'à présent, j'étais trop faible pour les combattre seul. Alors, je me taisais. Mais maintenant que je vois ta détermination, cela me donne du courage. Maître de l'art, unissons nos forces plutôt que de nous entretuer!

Sénab échangea un regard avec Iatou puis, retirant le couteau, fit quelques pas dans la pièce, pensivement.

— Je sais que tu n'a pas confiance en moi, poursuivit Qar en reprenant un peu son souffle. J'ai honte de n'avoir pas été très aimable envers toi par le passé. Mais j'obéissais aux ordres! J'étais jaloux, aussi, de la faveur dont tu jouissais auprès du Nésou-bity, toi, un jeune homme sans expérience.

Sénab s'arrêta et fixa l'Ami unique droit dans les yeux.

— Je ne cherche pas non plus à te soutirer ton pardon, reprit Qar. J'avoue que j'ai été lâche, mais tu m'as ouvert les yeux. Je ferai tout pour mériter ta confiance, tu peux me croire...

— Comme seule preuve, je te demande les papyrus, fit tranquillement Sénab.

— Quels papyrus?

— Les plans d'Akhet-mer qu'Oussérê ou Nèni m'ont volés. Tu as le pouvoir de faire entreprendre des recherches. Il me les faut, entends-tu?

Qar acquiesça de la tête.

— Celui qui me les a volés ne les a pas détruits, continua Sénab. Ils renferment la sagesse de nos ancêtres, et leurs secrets sont irremplaçables, même pour celui qui cherche à usurper le trône de Khoufou.

— Je t'aiderai, Maître de l'art, promit Qar. Khoufou s'est embarqué, il y a quatre jours, pour Per-Nébèt, dans le nome des Grattoirs*. Il y préside aux rituels de fondation d'un temple dédié à Hathor, la Grande Dame du Ciel. Il est accompagné d'Hémyounou et de presque toute la cour. Je vais en profiter pour faire fouiller les appartements de Nèni au palais. S'il le faut, j'enverrai aussi un détache-

_____

* Ville située dans le district administratif adjacent à celui de Mur Blanc, à quelque quarante kilomètres vers le sud.

ment à Onou, pour fouiller le temple. Si c'est l'un ou l'autre des deux qui est le coupable, comme tu le crois, nous retrouverons les documents et je te les apporterai. Avec cette preuve, Khoufou ne doutera plus de ta parole. Voilà l'aide que je te propose bien humblement. Daigne l'accepter.

Qar s'arrêta, à bout de souffle.

— Jure par Maat que tu feras ce que tu viens de dire, souffla Sénab en approchant son visage de la face glabre de l'Ami unique.

— Je le jure...

— L'implacable déesse a entendu ton serment, Qar. Ne l'oublie pas.

 **16.**

— Nous n'aurions jamais dû lui faire confiance, dit Sénab en tortillant nerveusement entre ses doigts la cordelette retenant l'amulette de Bès autour de son cou.

— Nous ne pouvions y aller avec lui, protesta Démout. Nous sommes tous trois hors-la-loi. Il ne nous reste plus qu'à attendre.

— Attendre... attendre, il me semble que je ne fais que ça...

— Ménage tes forces, reprit le pâtissier. Ta blessure saigne encore et il n'est pas question de consulter un médecin.

— Que fait donc Qar, il devrait déjà être de retour, dit nonchalamment Itaou, affalé sous un sycomore.

— C'est ce qui commence à m'inquiéter, avoua Sénab. On peut voir le palais d'ici; ce n'est pas d'y aller et de revenir qui prend tout ce temps!

— Tu as raison! affirma Itaou en se levant. Je vais tenter d'en savoir plus long.

— Tu te feras prendre...

— Ne t'inquiète pas pour moi!

Itaou traversa le jardin et, sous le regard inquiet de ses amis, sauta par-dessus le mur.

*   *   *

— Sénab! Démout! cria une voix de l'autre côté de l'enceinte. Sortez vite de là! Sautez le mur! Les soldats arrivent!

— C'est Itaou, s'écria Démout. Que se passe-t-il?

— Je ne le sais pas, répondit Sénab, mais je ne resterai pas ici pour l'apprendre. Viens!

Bondissant comme des lièvres, Sénab et Démout coururent jusqu'au mur et le sautèrent prestement. Il aperçurent Itaou, entouré d'une douzaine de grands gaillards, des Médjaïs armés jusqu'aux dents.

— Les gardes du palais viennent pour vous arrêter, expliqua-t-il précipitamment. Ils arrivent par l'autre côté de la villa. J'ai fait le plus vite que j'ai pu pour vous prévenir.

Sénab, immobile comme une statue du dieu vivant, fixait Itaou et son escorte. Il ne comprenait rien à ce qui se passait.

— Ce sont des hommes de ma tribu, expliqua le Nubien en réponse au regard perplexe de son ami. Ils ont accepté de me suivre pour nous prêter main-forte. Ils me considèrent comme leur vrai chef.

— Et Qar?

— Il nous a trahis, bien sûr. Il est parti re- trouver Khoufou à Per-Nébèt et a laissé le palais sous la garde de... Je te laisse deviner qui...

— De Nèni!

— Exactement.

— L'ignoble crapaud! laissa tomber Démout.

— Allons, venez, commanda Itaou. Je ne tiens pas à rencontrer ce Nèni maintenant.

— Mais pour aller où? demanda le pâtissier en haussant les épaules.

Les trois amis se regardèrent un moment en silence.

— Qu'allons-nous faire? continua-t-il. Quoi que nous entreprenions, nos ennemis auront le dessus sur nous.

— Il n'y a plus qu'une solution, déclara Sénab, qui semblait sortir d'une profonde réflexion. Jouons le tout pour le tout. S'il faut mourir, au moins nous aurons lutté jusqu'au bout.

Il se tourna vers Itaou:

— Combien y a-t-il de soldats au palais?

— Je ne sais pas... Il ne doit plus y en avoir beaucoup. Presque toute la garde escorte Khoufou à Per-Nébèt; Néni se dirige vers ici à la tête d'un important détachement et tu vois là tous les Nubiens qui étaient de service aujourd'hui. Mais où veux-tu en venir?

— J'ai eu une idée en t'apercevant avec ces miliciens. Le risque est grand, mais nous n'avons guère le choix.

— Explique-toi!

— Nous allons profiter de ce que palais est

laissé sans défense pour y pénétrer et nous y barricader.

— Et ensuite? demanda impatiemment Itaou.

— Nous allons fouiller l'édifice de fond en comble pour y retrouver les plans. Il y a de fortes chances pour que Nèni, si c'est lui qui les a volés, les y ait cachés.

— Et si nous ne les trouvons pas? objecta Démout.

— Il ne nous restera plus qu'à mourir...

— Ton plan est de la folie pure! s'exclama Itaou. Mais il me plaît. Enfin, nous allons nous battre!

*   *   *

Sénab et Démout, au milieu de la troupe de Médjaïs, avançaient dans l'allée bordée de lions couchés qui menait au grand portail. Ils avaient convenu, si on leur posait des questions, de se faire passer pour des prisonniers escortés par les hommes d'Itaou. Devant eux, le palais dressait sa façade contre l'azur parfait du ciel, couronnée de quatre grosses tours elles-mêmes surmontées de créneaux. Les nombreux retraits qui rythmaient l'imposante muraille de brique crue formaient un jeu subtil de lignes verticales où s'ouvraient, à intervalles réguliers, de toutes petites fenêtres.

Les gardes, postés de chaque côté du grand portail, répondirent machinalement au salut d'Itaou, sans même daigner s'intéresser aux deux intrus.

Ils se retrouvèrent dans le jardin du palais. La Maison royale était adossée au mur du fond où ses hautes tours se confondaient avec les remparts. Sénab se souvenait qu'un sanctuaire en bois, consacré à Ptah, se dressait non loin de l'entrée; ils allèrent s'y cacher.

Pendant ce temps, les Médjaïs se dispersèrent et fermèrent toutes les portes, isolant ainsi le palais du monde extérieur. Itaou se rendit auprès de l'officier en commandement et lui demanda de regrouper ses hommes dans le jardin; il lui dit que cet ordre émanait de Nèni. Quand les quelque vingt soldats se furent rassemblés auprès du kiosque, Itaou déclara qu'il prenait possession du palais au nom de Khoufou, et que ceux qui voulaient se joindre à lui étaient les bienvenus. Le commandant cria à la mutinerie et ordonna qu'on se saisisse du Nubien.

Mais avant qu'aucun des soldats ait pu faire le moindre geste, ils se retrouvèrent entourés par les Médjaïs qui les tenaient en respect avec leurs lances acérées. Bien que supérieurs en nombre, les fils de Kémyet, intimidés par la force des Nubiens, capitulèrent sans même livrer bataille.

Les hommes d'Itaou désarmèrent leurs prisonniers et les escortèrent ensuite jusqu'au grand portail, qu'ils refermèrent derrière eux.

— En voilà vingt hors d'état de nuire! s'exclama Itaou en replaçant la poutre qui servait à barrer la grande porte.

Il revint ensuite au jardin et libéra ses amis, qui se cachaient à l'intérieur du kiosque.

— Combien d'hommes se sont ralliés à notre cause? demanda Sénab en descendant les quelques marches de l'édifice.

— Aucun.

— Dommage! Ce n'est pas à quatorze que nous pourrons tenir tête à une éventuelle contre-attaque.

— J'ai envoyé un de mes Médjaïs auprès de la milice nubienne d'Akhet-mer. Avec un peu de chance, ils arriveront avant la fin du jour.

— Itaou! cria une voix venant du chemin de ronde. Nèni et ses hommes sont revenus de la ville. Ils se sont postés juste devant l'entrée.

— Peu importe, dit Sénab, ils ne peuvent rien contre nous. Et maintenant, au travail! Il faut retrouver ces plans.

Sénab, Démout et Itaou, accompagnés de quelques miliciens, se dirigèrent d'abord vers les bureaux des hauts fonctionnaires. Les salles où travaillaient les scribes étaient vides. Ils fouillèrent tous les casiers où étaient rangés les papyrus et forcèrent tous les coffres.

— Allons aux appartements royaux, proposa Démout.

— Non! Pas encore, répondit Sénab.

— Mais si, viens!

— C'est un sacrilège que de forcer la demeure du dieu!

— Au point où nous en sommes...

Sénab resta un moment immobile, incapable de prendre une décision, puis il baissa la tête et suivit son compagnon. «Que Ptah, que Hathor, que Thot, que... que tous les dieux des Deux Terres me pardonnent», murmura le jeune homme en traversant la cour, avant de pénétrer dans la partie du palais réservée au Nésou-bity et à sa famille. À part quelques domestiques, déroutés par la présence d'Itaou et de ses hommes, les nombreuses pièces étaient presque désertes.

Un tout jeune serviteur était blotti dans l'angle d'un mur. Sénab s'en approcha.

— Où se trouvent les appartements de Nèni? demanda-t-il.

L'enfant ne pouvait détacher ses yeux d'Itaou; l'aspect imposant du Nubien semblait l'avoir plongé dans une frayeur indescriptible.

— Allez, réponds! s'écria ce dernier. Le chat t'a-t-il mangé la langue?

— Du côté sud, réussit à articuler le petit...

— Venez! ordonna Sénab.

Les trois compagnons se rendirent aussitôt sur les lieux désignés par l'enfant. Ils pénétrèrent dans une grande salle d'hôte. Croyant à une rébellion des gardes du palais, les femmes et les enfants qui s'y trouvaient se mirent à hurler. L'une des femmes prit dans ses bras un tout jeune garçon qui jouait par terre.

— Vous ne courez aucun danger! s'empressa de déclarer Sénab. Je n'en veux qu'à cet ignoble Oussérê et à son complice, l'infâme Nèni.

Un silence de mort s'abattit. La femme portant l'enfant s'avança et se planta devant Sénab. Le petit avait la tête rasée, sauf pour une tresse noire qui descendait derrière son oreille droite. C'était la coiffure des enfants de sang royal.

— Qui es-tu? demanda Sénab à la femme.

— Je suis l'épouse de Nèni, fils du frère de Khoufou! répondit la femme en plongeant son regard droit dans les yeux de Sénab. Et voici mon fils. Je t'ordonne de quitter cette maison. Ta présence en ces lieux est un déshonneur pour nous tous. Nèni avait raison, ancien Maître de l'art, de chercher à débarrasser la vallée de ta présence et de celle de tes semblables.

— Tais-toi, femme! s'écria Sénab en serrant les poings.

Les mots qu'il eût pu utiliser pour se défendre lui manquèrent, lui qui était d'habitude si éloquent.

— Qu'on les emmène et qu'on les enferme dans le kiosque du jardin, ordonna-t-il, arrivant à grand-peine à maîtriser sa colère.

Les trois compagnons passèrent les appartements de Nèni au peigne fin. Quand ils eurent fini, Rê atteignait le terme de sa course quotidienne. Ils avaient regardé partout, sondé tous les murs pour s'assurer qu'ils ne recelaient pas de caches... En vain. Ils n'avaient pas découvert l'ombre d'un papyrus.

— Je n'en peux plus, Sénab! finit par s'exclamer Démout. Nous n'y arriverons jamais! Il nous faudrait des mois pour fouiller une à une toutes les pièces du palais. C'est comme chercher une pierre précieuse dans le sable du désert!

— Tu as raison, avoua Sénab. Arrêtons-nous, c'est peine perdue. La nuit qui tombe sera peut-être notre dernière à tous les trois. Qu'elle soit au moins douce. Offrons-la à Hathor* et faisons bonne chère.

Pour la première fois depuis ces derniers jours, alors qu'il avait eu l'impression de vivre en étroite compagnie avec la mort, Sénab sentit une grande paix l'envahir. Il s'abandonna à son destin. Ses compagnons et lui se dirigèrent vers les caves du palais où s'entassaient les provisions de bouche. Après avoir installé des sièges moelleux entre deux grandes amphores pleines de vin, ils se mirent à boire à la santé de la Grande Dame du Ciel.

— Chut! s'écria Sénab. J'entends comme une respiration...

Itaou et Démout tendirent l'oreille.

— Tu as raison, fit le pâtissier, il y a quelqu'un qui dort contre cette amphore, juste derrière toi.

---

* Hathor était aussi la déesse des plaisirs de la table.

— Ce doit être un des gardes qui profite du désordre pour goûter au vin du Nésou-bity, laissa tomber Itaou.

— Je vais aller l'éveiller, tonna Sénab. Ça lui apprendra les bonnes manières! Il ne sera pas dit que le désordre aura régné au palais tant qu'il aura été sous notre garde!

— Prends ton arme avec toi, conseilla Itaou. On ne sait jamais, il pourrait se réveiller de mauvais poil.

Sénab s'avança précautionneusement. Il leva son arme et se pencha vers le corps.

— Néférouret!

La jeune femme poussa un soupir, se retourna et ouvrit doucement les yeux. Elle fixa un instant celui qui se penchait au-dessus d'elle avant de le reconnaître.

— Sénab!

— Mais qu'est-ce que tu fais là?

Vive comme l'éclair, la jeune femme se releva et se jeta dans les bras de son ami.

— Et toi! Raconte-moi d'abord.

Sénab relata les événements des derniers jours qui l'avaient amenés à se barricader au palais avec ses amis.

— À ton tour maintenant, raconte!

— Quand les gardes m'ont ramenée au palais, commença Néférouret, j'ai demandé à voir Khoufou, mais il était déjà parti pour Per-Nébèt. Ils ont d'abord songé à m'éliminer en douce, parce qu'ils avaient peur que je révèle la véritable identité de mes ravisseurs au Nésou-bity. Mais Qar n'a pas eu le courage d'ordonner ma mort. Alors ils m'ont gardée prisonnière au harem. Par chance, le garde qui était chargé de me surveiller m'était dévoué et j'ai pu m'échapper sans trop de difficultés. Je me suis cachée ici et je me suis endormie.

— Nous avons le palais en notre pouvoir, dit Sénab, mais j'ai bien peur qu'il ne devienne demain notre tombeau.

— Je sais ce qui me reste à faire, déclara l'épouse royale avec détermination.

— Qu'est-ce que tu veux dire?

— Khoufou! Khoufou est notre seule chance de sortir vivants d'ici. Je vais me rendre immédiatement auprès de lui.

— C'est trop hasardeux, objecta Sénab. Nèni et ses hommes sont postés devant le palais.

— Je sortirai par la porte dérobée dont tu t'étais servi quand tu étais venu me retrouver. Et, comme il fait nuit, je passerai plus facilement inaperçue.

— Je vais avec elle, proposa Démout.

Sénab regarda longuement Néférouret, puis la serra dans ses bras. Quel déchirement de devoir encore se séparer d'elle! Mais il se rangea à l'argument de la jeune femme. Son intervention auprès de Khoufou constituait leur seul espoir de sortir de là vivants.

— Tu as raison, dit-il en soupirant. S'il n'en tenait qu'à moi, j'aimerais mieux mourir ici avec toi, mais nous devons lutter jusqu'à la fin pour sauver Khoufou de ses ennemis.

*   *   *

C'est alors que commença pour Sénab la nuit la plus longue de sa vie. Il n'arriva pas à fermer l'œil. Des Médjaïs avaient allumé un feu dans la cour et venaient, entre leurs quarts, s'y réchauffer ou y chercher un peu de repos. Le Maître de l'art s'était joint à eux.

La conversation roulait sur leurs exploits militaires ou sur leur jeunesse dans leur pays, au-delà de la première cataracte. Sénab était ému par le courage de ces hommes qui étaient prêts à sacrifier leur vie pour le suivre.

Toute son attention était absorbée par le jeu toujours renouvelé des braises rougeoyantes quand, au petit matin, un cri déchira le silence:

— Des hommes en armes s'approchent du palais!

*   *   *

— Par Sekhmet et Bastet! s'exclama Sénab, qui venait de grimper sur le chemin de ronde.

Un bateau était amarré au quai, sur le Nil, juste à l'embouchure du canal qui menait à Akhet-mer. Une troupe de soldats marchait en formation et se trouvait déjà à mi-distance sur la route reliant le palais au fleuve. Quatre à quatre, ils avançaient, tenant au poing leur bouclier de bois couvert de peau et serrant leur lance dans l'autre main.

Sénab se retourna vers Itaou:

— Rassemble tous les hommes dans la cour, derrière la grande porte.

Les hommes s'empressèrent de prendre leurs armes et Itaou, fort de son expérience de milicien, passa ses troupes en revue.

— Ceux qui n'ont ni arc ni flèches prendront les lances que nous avons enlevées aux gardes du palais, ordonna-t-il. N'employez vos armes qu'en dernier recours, pour vous défendre.

— Combien sont-ils? cria-t-il en levant la tête vers le chemin de ronde.

— Une cinquantaine, lui répondit un Médjaï, mais ce sont des soldats de métier. S'ils attaquent, nous ne pourrons pas tenir bien longtemps.

— Je vais tenter de parlementer avec leur commandant, dit Sénab. Je crois avoir reconnu Sékhemka. Je connais sa loyauté envers Khoufou; je réussirai peut-être à le convaincre de se joindre à nous.

*   *   *

Devant le palais, l'officier avait levé le bras. Les soldats s'arrêtèrent. Puis, avançant seul, le commandant leva la tête, balayant du regard les hauteurs de la muraille.

— Sékhemka! s'écria Sénab. Fais reculer tes hommes! Je vais sortir pour te parler!

Sur un ordre de leur chef, les soldats se re-
tirèrent au-delà des deux rangées de lions couchés qui bordaient les cent dernières coudées
de l'allée. Sénab entrouvrit un des lourds battants et s'avança seul sur la voie dallée. Il
s'arrêta à vingt coudées de l'officier.

— Je suis Sénab, le Maître de l'art...

— Tu veux dire l'«ancien» Maître de
l'art, grommela l'autre. Le vrai Maître de
l'art, c'est Ankh. Il est avec le Nésou-bity, à
Per-Nébèt.

Sénab sentit comme un coup de poignard
dans l'estomac. Il comprit pourquoi Ankh
n'était pas en prison comme les autres prêtres
de Ptah.

— Nèni a envoyé un messager au Seigneur des Deux Terres pour l'avertir de votre
sacrilège, poursuivit Sékhemka, et c'est
Hémyounou le vizir qui m'a confié la mission de venir ici vous ordonner de déposer les
armes. Rendez-vous, toi et tes rebelles!

— Je ne suis pas un rebelle! répliqua vivement Sénab.

— Tais-toi! s'emporta Sékhemka. Khoufou
lui-même m'a donné l'ordre de vous écraser
et de disperser ensuite vos os dans le désert.

— J'éprouve le plus profond respect pour la
sagesse de Khoufou, l'Horus de Kémyet, mais
seul Thot possède toutes connaissances!

— Arrête de blasphémer! Dépose les armes
et rends-toi! Sinon, nous prendrons le palais
par la force.

Sénab serra les poings et fit demi-tour.

Aussitôt, Sékhemka lança un ordre. Jetant un regard par-dessus son épaule, Sénab aperçut les soldats qui s'apprêtaient à tirer leur lance dans sa direction. Il bondit, tel un guépard, vers le portail. Au moment où il se glissait entre les battants, les lances se fichèrent dans la porte.

— Si tous les serviteurs de Khoufou démontraient la même loyauté que ce Sékhemka, ricana Itaou, nous n'en serions pas là!

— Ils ont le bras puissant, ces soldats, fit Sénab, reprenant son souffle.

— Ce n'était qu'un avertissement, fit Itaou. Que le bras de Sekhmet vienne à notre secours!

*   *   *

Sur le chemin de ronde, derrière l'un des merlons* qui dentelaient le haut de la muraille, Sénab observait les manœuvres des soldats. Ils se divisèrent d'abord en quatre groupes. Au signal de leur chef, le premier groupe prit position du côté sud de l'enceinte, le deuxième groupe se déploya au nord. Les deux autres restèrent devant le palais.

— Heureusement que l'arrière du palais est imprenable, fit Itaou. Le mur de la Maison royale est bien trop haut.

— Ils veulent donner l'assaut des trois côtés à la fois, conclut Sénab.

---

* Partie d'un mur qui sépare deux créneaux.

— Ils ne peuvent rien pour le moment, affirma le Nubien. Le mur est trop haut, et ils n'ont même pas d'échelle.

— Maigre consolation! maugréa Sénab. Ils bloquent toutes les issues. Nous sommes faits comme des rats.

— Le temps joue pour nous.

— Le fleuve est désert, aucun signe de Khoufou. Mais que fait donc Néférouret? Elle sait que nous n'avons pas le temps de l'attendre!

— Soyons patients! Si...

— Regarde là-bas! cria Sénab.

— Quoi? demanda Itaou en sursautant. Des navires?

— Non! Des soldats s'approchent, là, à travers champs.

Itaou cligna des yeux pour essayer de distinguer ce que portaient les guerriers.

— Finis les jeux! s'écria-t-il. Nous voilà vraiment en guerre! Ces hommes transportent des échelles, et même un bélier.

— Alerte! cria Sénab. Tout le monde sur le chemin de ronde!

Les Médjaïs grimpèrent l'escalier et se déployèrent au pas de course sur les trois côtés menacés.

Le nouveau contingent de soldats se mit aussitôt sous le commandement de Sékhemka. Ils répartirent les longues échelles en trois piles, puis des recrues se chargèrent de les porter aux soldats.

— Il y a aussi des archers! s'écria Sénab.

214

— Tenez vos boucliers bien haut! ordonna Itaou. Ils vont d'abord tirer leurs flèches puis ils donneront l'assaut avec leurs échelles.

Des sifflements stridents montèrent vers la muraille. Les premières flèches fendaient l'air, cherchant leur cible de leur pointe meurtrière.

À côté de Sénab, un jeune Médjaï lâcha un cri de douleur et laissa échapper son bouclier; une flèche venait de lui transpercer l'épaule. Sénab bondit vers le blessé, se pencha pour prendre le bouclier et l'en couvrit.

Comme Itaou l'avait prévu, les soldats se saisirent ensuite des échelles qu'ils appuyèrent à la muraille. Les flèches pleuvaient sur les défenseurs. Les premiers soldats purent commencer à grimper aux échelles sans être importunés par les Nubiens, qui consacraient tous leurs efforts à se protéger des traits mortels.

En les apercevant, Sénab se leva et cria à pleins poumons:

— Morts ou vifs!

Saisissant une lance, il se rua sur un envahisseur qui avait atteint le sommet d'une échelle et lui perça le corps. Enflammés par son courage, les Médjaïs se ressaisirent et, poussant leur cri de guerre, se jetèrent sur les autres soldats qui avaient réussi à prendre pied sur le mur. Sénab saisit ensuite les montants d'une échelle et la fit basculer dans le vide avec les hommes qui y grimpaient. Les autres échelles ne tardèrent pas à subir le même sort.

— Jetez les armes! cria Sénab aux envahisseurs qui avaient réussi à atteindre le chemin de ronde et que les Médjaïs avaient rapidement encerclés. Nous combattons pour Khoufou, notre dieu à tous. Inutile de nous entretuer.

Les quelques soldats laissèrent tomber leurs lances et leurs massues de pierre.

— Emmenez-les au kiosque! ordonna Sénab. Ceux-là ne nous menaceront plus!

*   *   *

Au pied de la muraille, la confusion régnait. Sékhemka essayait de rassembler ses hommes. Il avait sous-estimé la valeur des défenseurs qui, malgré leur petit nombre, montraient un courage peu commun.

Sénab regarda autour de lui et fut horrifié en constatant le nombre des siens qui avaient été atteints par des flèches. Plus de la moitié des Médjaïs montraient des blessures qui saignaient abondamment. Il appela Itaou.

— Je vais me livrer à Sékhemka, dit-il gravement. Ça ne sert à rien de continuer; je ne peux pas accepter le sacrifice de tes hommes. En échange de ma reddition, je tâcherai d'obtenir de meilleures conditions pour vous tous.

— Jamais! s'écria Itaou, se rebiffant violemment. Dans ma tribu, nous sommes tous frères, pas un ne s'en tirera sans les autres, tu m'entends? Je te dois la vie, souviens-t'en, et si aujourd'hui je meurs pour toi, je me réjouirai car je t'aurai enfin payé ma dette.

Sénab fixa Itaou droit dans les yeux. Son visage s'éclaira.

— D'ailleurs, nous avons des renforts, continua le Nubien. Sékhemka n'a pas vu les Médjaïs que j'ai envoyé chercher. Regarde du côté de la falaise!

Sénab se retourna vers sa droite et vit, rangée sur une seule ligne couronnant la falaise, la milice d'Akhet-mer, lance en main.

— J'en compte trente-deux! s'écria Sénab.

— Sékhemka n'a qu'à bien se tenir, maintenant, dit Itaou, qui avait retrouvé son sourire.

 **17.**

Lorsque Sékhemka et ses hommes aperçurent les Médjaïs rangés en ordre de bataille et prêts à foncer sur eux, ce fut la consternation. Le chef connaissait la valeur guerrière des Nubiens et il avait décidé de battre en retraite pour attendre des renforts.

— Ils se retirent, les poltrons! cria Sénab.

Les nouveaux venus commencèrent leur descente vers le palais. On fit ouvrir les portes et les assiégés accueillirent triomphalement les miliciens d'Akhet-mer. Sénab descendit dans la cour. Les discussions allaient bon train. Itaou expliquait la situation au chef de la milice, qui l'écoutait attentivement, appuyé sur sa lance.

Un cri retentit soudain, répété par tous les hommes qui étaient restés au sommet de la muraille.

— Le fanion de Khoufou! La flotte royale!

Le cœur de Sénab se serra. «Pourvu que Néférouret ait trouvé les mots pour le convaincre», pensa-t-il en lui-même.

— Ne prenons aucun risque! proposa Itaou. Barricadons-nous jusqu'à ce que le Nésou-bity nous ordonne lui-même de sortir.

— Non! rétorqua Sénab. Allons plutôt au devant de lui. Si Néférouret a réussi dans sa mission, nous sommes sauvés. Sinon, aussi bien mourir sous les yeux de notre maître! Au moins il connaîtra notre courage.

Les deux compagnons grimpèrent sur les remparts. Une fois au sommet, ils aperçurent les navires qui se laissaient porter par l'eau de Hapy.

— Regarde les soldats de Sékhemka! Ils jubilent déjà de leur victoire, grinça Itaou.

Les troupes royales manifestaient leur joie en sautant sur place et en scandant le nom du divin Khoufou. Bientôt, les amarres de la nef royale volèrent sur le quai. Sénab, rongé par l'inquiétude, se revit en imagination quand, simple scribe, il quittait son village à l'aube pour se rendre au temple. Combien réconfortante était, en ce moment où se jouait son destin, l'image sévère de Niousséra! Il se répétait, comme une incantation, les paroles du grand-prêtre: «N'oublie jamais que le Seigneur des Deux Pays est notre père à tous. Il est celui qui vivifie la terre et fait pousser les plantes. Sans la chaleur que nous prodigue Rê, son père, rien n'existerait. Il est...»

— Le palanquin de Khoufou! cria Itaou, sortant Sénab de sa rêverie. Mais je ne vois pas Néférouret.

— Et Démout?

— Je ne le vois pas non plus.

L'angoisse de Sénab redoubla. Ses ennemis étaient-ils si puissants qu'ils avaient empêché l'épouse royale d'approcher le Nésoubity? Et si Néférouret avait parlé à Khoufou, ce dernier avait-il voulu la croire? Il observait le cortège qui se formait sur l'embarcadère. Le trône royal était précédé des porteurs d'enseigne représentant les divinités locales: l'Ibis, le Cobra, le Lièvre, la Chatte, le Chien Noir, l'Arc et les autres. Autour du dieu vivant marchaient les hommes de sa garde personnelle; venaient ensuite les grands personnages de la cour.

Rê s'apprêtait à glisser derrière l'horizon. Un silence inquiétant pesait sur la vallée. Des paysans, ignorant tout du drame qui se jouait sous leurs yeux, glorifiaient le dieu vivant qui regagnait sa demeure sacrée.

Le Nésou-bity s'arrêta au milieu des hommes de Sékhemka, qui s'écartèrent respectueusement. Sénab comprit que Khoufou leur avait donné un ordre car les soldats se divisèrent aussitôt en deux groupes. Puis le cortège se remit à cheminer vers le palais, escorté des deux escadrons qui marchaient à l'extérieur des rangées de lions couchés.

Sénab comprit qu'il avait perdu la partie. Pour Khoufou, il restait le vil rebelle qu'il fallait châtier; l'absence de Néférouret et les soldats disposés en formation d'attaque en étaient une preuve irréfutable.

Un héraut, vêtu d'une peau de léopard, se

détacha du cortège, s'arrêta devant le portail et frappa le sol de son bâton.

— La Majesté du dieu, le Nésou-bity, Khoufou, le fils de Rê, exige que Sénab ouvre les portes de la demeure royale et laisse pénétrer le Maître de la Grande Maison*!

L'homme attendait la réponse. Sénab s'empressa de regagner la cour.

— Ouvrez les portes! ordonna-t-il sur un ton qui camouflait mal sa nervosité.

Les deux larges battants s'écartèrent et, à la plus grande surprise des assiégés, seul le palanquin royal franchit le seuil. Sénab se jeta par terre devant le dieu vivant, les bras tendus vers lui en signe de respect et de soumission.

— Seigneur des Deux Terres, implora-t-il, je suis le plus humble de tes serviteurs. Jamais je n'ai souhaité de mal à celui qui donne la vie.

Le visage de Khoufou restait dur et fermé.

— Ma Majesté désire mettre un terme à la folie des hommes, déclara gravement le roi sans même baisser les yeux vers Sénab. Un juge a été nommé: c'est Hémyounou qui présidera le Conseil des Dix. Mon jugement s'abattra ensuite sur la tête des coupables!

Sénab n'osait même pas respirer. Chacune des paroles du Nésou-bity frappait son esprit comme une condamnation.

---

* Traduction de l'expression égyptienne «per-aâ», qui a donné le mot pharaon.

Khoufou fit un geste. Son trône fut de nouveau soulevé par les porteurs, puis il traversa lentement la cour avant de disparaître à l'intérieur du palais. Puis ce fut au tour du cortège royal de passer devant le jeune homme, toujours étendu. Personne ne sembla remarquer son corps prostré dans la poussière.

Quand Sénab osa enfin se relever, il aperçut Itaou et ses Medjaïs rassemblés dans un coin de l'enceinte. On les avait fait asseoir par terre. Des soldats, lance au poing, les tenaient en respect. Des larmes roulèrent sur les joues de Sénab quand il songea qu'il ne reverrait plus ses amis, eux qui avaient placé en lui toute leur confiance.

*　　*　　*

Escorté par une dizaine de gardes, Sénab traversait la cour du palais. Il faisait nuit. Ses yeux, levés vers le ciel, se perdaient dans le fouillis des étoiles et il se disait qu'il les contemplait peut-être pour la dernière fois.

La salle du Conseil était illuminée comme en plein jour. Khoufou y occupait son trône de basalte noir, les mains posées à plat sur les genoux. À sa gauche, le vizir Hémyounou était assis dans un fauteuil de bois à pieds de lion. Les Dix, debout, vêtus de leur long pagne et portant leur perruque à tresses courtes et serrées, attendaient, impassibles. Encore une fois, Sénab s'étendit devant le dieu vivant.

— Ma Majesté veut entendre ce que tu as à dire, déclara Khoufou. Parle!

Rassemblant ce qui lui restait de courage, Sénab commença par raconter le vol des plans d'Akhet-mer.

— Je sais que ta Majesté m'a bien mis en garde de la déranger encore par mes plaintes. Tu m'as ordonné, ô Khoufou, de m'occuper uniquement de ta Maison d'éternité. Mais c'est justement ce que tes ennemis ont voulu m'empêcher de faire en me volant les plans sacrés. Ensuite ils m'ont enlevé et...

Sénab voulut continuer, mais les mots s'étranglèrent dans sa gorge.

Hémyounou se leva.

— Tu DOIS parler! cria-t-il.

Sénab se racla la gorge et reprit:

— ... ils m'ont enlevé et ils ont enlevé une de tes épouses en faisant croire que j'étais coupable de ce crime. C'est une ignoble calomnie. J'en ai été réduit à prendre possession du palais parce que mes ennemis m'avaient privé de toute ma force en me dérobant les papyrus d'Akhet-mer. Je n'ai jamais voulu te manquer de respect, mais te protéger de tes ennemis. Jette-moi aux crocodiles si tu me crois coupable, mais épargne au moins mes compagnons d'infortune qui n'ont pris les armes que pour moi.

Khoufou avait abaissé son regard vers Sénab.

— Est-ce tout ce que tu as à dire? demanda-t-il avec une certaine douceur.

Sénab hésita, puis reprit d'une voix ferme.

— Non. Je veux encore dire ceci: Nèni est coupable!

— Tu accuses de félonie un membre de la famille royale? fit le Nésou-bity.

— Manios, le marchand, n'avait aucune raison de me mentir. J'étais son prisonnier. Il se sentait tout à fait libre de parler à un homme dont il pensait qu'il allait mourir. Alors il a accusé Nèni de l'avoir soudoyé pour m'enlever. Je soupçonnais déjà Nèni d'avoir tué le second Prophète de Ptah. Aujourd'hui je suis sûr que c'est lui aussi qui a volé mes plans, et qu'il est la cause de tous les désordres au chantier. Et je suis certain qu'il n'agissait pas seul, mais avec la complicité d'importants personnages.

— Peux-tu le prouver?

— Hélas non. J'ai eu beau fouiller les appartements de Nèni, je n'ai pas pu trouver les plans.

— Maintenant, déclara Khoufou, le Conseil des Dix est informé de tous les détails. Il ne reste plus qu'une seule chose à régler.

Khoufou saisit son sceptre et le leva devant lui. Du fond de la salle, un homme s'avança:

— As-tu retrouvé les papyrus? demanda Khoufou.

— Les voici!

— Qar! ne put s'empêcher de souffler Sénab.

— Où les as-tu trouvés? s'enquit le Nésou-bity.

— Dans la tente de Nèni, à Per-Nébèt.

Sénab sentit la joie monter en lui comme l'eau de Hapy au moment de la crue. Ainsi, Nèni avait été démasqué! C'est donc que Néférouret avait parlé à Khoufou. Mais où était-elle? Et pourquoi le Nésou-bity n'avait-il pas encore fait la moindre allusion à l'épouse royale?

— Et Nèni? demanda Khoufou.

— Il est en prison, avec les autres rebelles, répondit l'Ami Unique.

— Qu'on l'amène tout de suite, je veux qu'il...

— Nèni est mort! cria une voix.

Ces mots jetèrent la consternation dans l'assistance. Sénab ne put s'empêcher de lever la tête pour voir qui venait de parler. C'était Oussérê, le grand pontife de Rê. Khoufou avait bondi et Hémyounou s'était levé à sa suite.

— Parle, Oussérê, ordonna ce dernier, que sais-tu?

— Nèni est mort. Voulant tout savoir sur cet horrible complot visant ta Majesté, je me suis moi-même rendu à la prison. J'y ai interrogé Nèni, qui a tout avoué. Soudain, il a dérobé l'épée du garde qui m'accompagnait et l'a enfoncée dans sa poitrine. Avant que j'aie pu réagir, il s'est soustrait à ton juste châtiment en s'enlevant la vie.

— Pourquoi m'a-t-on tenu ignorant de tout cela? demanda Hémyounou.

— J'arrive à peine de la prison. J'ai été le seul témoin de ces événements, vizir. Je n'ai pas eu le temps de t'en faire part avant le début du Conseil.

— Il n'a pas assez souffert! tonna Khoufou. Ma vengeance n'est pas assouvie!

Sénab essayait de comprendre ce qui se passait. Il avait toujours été convaincu qu'Oussérê était le véritable instigateur du complot, Nèni ne jouant que le rôle d'instrument. Mais sa position de force n'était pas encore suffisamment assurée pour qu'il puisse l'accuser. Il était très las et n'arrivait plus à rassembler ses idées. Il ne comprenait plus rien aux paroles qui tourbillonnaient au-dessus de sa tête. Il finit par se dire qu'il allait garder Oussérê à l'œil afin de l'empêcher de mener à bien ses intrigues contre Khoufou. Mais une préoccupation l'emportait sur toutes les autres. Depuis qu'il savait que Néférouret était arrivée vivante à Per-Nébèt et qu'elle avait réussi à parler au Nésou-bity, c'était l'image de son amie qui occupait de plus en plus ses pensées. Il mourait d'envie de savoir ce qui lui était arrivé après qu'elle eut quitté le palais, en pleine nuit.

— Allons! Au moins il est mort, grommelait Khoufou, qui retrouvait peu à peu son calme, et je n'aurai plus à me plaindre de lui.

Sénab, bientôt, n'y tint plus.

— Que ta Majesté me pardonne de m'adresser à elle sans permission, mais Néférouret était-elle avec toi à Per-Nébèt?

— D'abord, relève-toi Sénab, ordonna Khoufou.

Le jeune homme obéit. Le regard du Nésou-bity semblait rempli d'une grande bienveillance à son égard.

— Ne te fais pas de souci pour Néférouret; elle est en sécurité à bord de mon navire, continua le roi. C'est une femme audacieuse! C'est elle qui m'a ouvert les yeux au sujet de Nèni. Je doutais depuis longtemps de la loyauté de cet homme renfermé, toujours à l'affût de titres et de privilèges. Mais je n'aurais jamais pensé qu'il oserait aller si loin!

Khoufou haussa le ton de sorte que tous entendent bien ses paroles:

— Ma gratitude à ton égard est sans borne, fougueux Sénab. Sans toi, Maat aurait été bafouée et le Double Pays aurait connu le chaos comme aux origines de l'Univers. Ma Majesté saura récompenser ton courage. Ouvre ton cœur et exprime ton désir!

— Je n'exige rien, ô dieu vivant, répondit Sénab. Ma loyauté est à ton service.

Mais, se ravisant, il reprit à mi-voix:

— Il y a, peut-être... quelque chose...

— Dis-le! commanda joyeusement Khoufou. Dis-moi ce qui traverse ton esprit!

— Je veux fonder une maison* avec celle qui m'avait été promise...

— Néférouret! s'exclama Khoufou, feignant la surprise.

---

* Expression utilisée par les Égyptiens lorsqu'ils voulaient prendre épouse et se marier.

— Je sais qu'elle est l'une des épouses de sa Majesté...

— ... et qu'un dieu ne partage pas ce qu'il possède avec les hommes! coupa le Nésou-bity.

Sénab regrettait déjà la hardiesse de sa demande.

— Qu'il en soit ainsi! laissa tomber Khoufou. Néférouret n'a été pour moi qu'une épouse en titre. Je savais qu'elle t'avait été promise dès ton tout jeune âge. Nioasséra, Juste de Voix, était venu me voir pour m'en faire part et m'avait supplié de la garder pour toi. J'attendais le moment propice.

Khoufou s'arrêta pour se racler la gorge.

— D'ailleurs, reprit-il aussitôt, je veux que tu oublies le plus vite possible les mauvais traitements dont tu as eu à souffrir dans toute cette affaire. Ma Majesté a décidé de te récompenser. Qu'on aille chercher Néférouret! Quant à toi, va avec Qar! Il s'occupera de toi.

Le dieu vivant se tourna vers sa suite.

— Je veux que l'on organise une grande fête! s'écria-t-il. Ptah est grand de m'avoir accordé de si fidèles serviteurs!

*   *   *

Le lendemain, au palais, une foule parée de superbes vêtements se pressait dans le grand jardin. De petits groupes s'étaient formés, çà et là. On parlait des derniers événements, de la mort de Nèni, et surtout du retour en grâce de Sénab. Les domestiques portaient de hautes cruches d'argile claire, à bout effilé, marquées du cartouche de Khoufou. Ils versaient du vin aux convives. Jamais Démout n'avait vu autant de plats regorgeant de pain, de dattes, d'oignons frais et de gâteaux au miel. Jamais il n'avait vu autant de tables chargées d'oies et de pigeons grillés.

Les belles de la cour portaient de longues robes de lin blanc retenues sous leur poitrine à l'aide de larges bretelles. Des colliers d'or et d'argent caressaient leur cou.

Flanqué d'Itaou et de Démout, Sénab attendait impatiemment que Khoufou paraisse. Tout à coup, un homme le saisit par le bras:

— Mon fils! s'écria Ptahméry.

De grosses larmes striaient le visage du vieillard.

— Père! répondit Sénab en se jetant dans ses bras.

— Comme tu le vois, reprit Ptahméry, que l'émotion étouffait, nous sommes tous là!

Sénab regarda autour de lui et aperçut son frère Persen accompagné de Maatka, son épouse. Anou, le père de Néférouret, était là lui aussi et ouvrait de grands yeux pour ne rien manquer des merveilles qui l'entouraient. Quand le Nésou-bity sortit du palais, l'humble paysan tomba dans une sorte de méditation craintive.

— Anou! fit Sénab, que la gêne de ce dernier amusait beaucoup.

— Oui!... Quoi?... Je..., balbutia l'homme,

reprenant ses esprits. Khoufou..., le Seigneur des Deux Terres!

— Un messager du palais est venu nous chercher, ce matin, expliqua Ptahméry. J'étais si heureux d'apprendre que tu étais encore en vie. Au début, j'ai cru que mes oreilles me jouaient un tour, mais Persen m'a répété les paroles du messager. Tu comprends, nous te croyions mort! Il y a de cela plus de dix jours, des soldats sont venus au village et ont dit que nous étions hors-la-loi. Tu avais trahi la confiance du Nésou-bity, disaient-ils, et toute ta famille devait porter la honte de ton crime. Ils nous ont ensuite emmenés dans les terres du palais, de l'autre côté du Nil.

— Nous étions condamnés aux travaux forcés, dit Persen.

— Ma famille et moi aussi, s'empressa d'ajouter Anou. Ils ont prétendu que Néférouret était ta complice.

— Les dieux ont été bien cruels envers vous, fit Sénab, attristé.

— Je n'y comprenais rien, reprit Ptahméry. Je savais que toi, mon fils, tu ne pouvais pas trahir celui qui gouverne Kémyet avec tant de bonté.

— Tout ça a commencé...

Au moment où Sénab se lançait dans son récit, les tintements cristallins des sistres se firent entendre et les convives se turent. Il se demanda d'où provenait cette musique réservée au culte et aperçut un cortège qui sortait du palais. Il n'y avait que des femmes et parmi elles Sénab reconnut Néférouret. Elle avait la tête couverte de fleurs de lotus. Un voile de lin, de la couleur des flots du Nil, avait été déposé sur ses épaules et tombait jusqu'à ses pieds. Sénab se fraya un chemin parmi la foule. Un bras se posa sur le sien. C'était Qar:

— Suis-moi, jeune homme! Il est encore trop tôt.

Sénab jeta à l'Ami unique un regard où se mêlaient la curiosité et l'inquiétude.

— Mais... Néférouret?

— Khoufou te demande!

Sénab suivit Qar jusqu'à l'étang devant lequel on avait placé le trône royal. Khoufou désigna du menton le fauteuil vide juste à côté du sien. Sénab y prit place. Parmi la foule, il aperçut Oussérê qui lui adressait un sourire. Sénab grimaça malgré lui.

Lorsque le cortège eut traversé le jardin, les sistres se turent et les jeunes femmes laissèrent Néférouret seule devant le trône du Nésou-bity. C'est alors que le vizir leva son bâton et déclara:

— Voici la volonté de Khoufou, roi des Deux Terres: Sénab, fils de Ptahméry, Maître de l'art d'Akhet-mer, portera désormais le titre d'Ami unique du dieu vivant. Il recevra un collier de cinq dében d'or et sa Maison d'éternité sera construite et décorée par les artisans du palais. Ainsi a parlé le Nésou-bity!

Des cris de joie firent écho aux paroles d'Hémyounou. Le calme revenu, Khoufou prit lui-même la parole.

— Que la Dame du Ciel, la divine Hathor, couvre Néférouret de ses ailes* et lui apporte fertilité et bonheur. Car, selon le plus vif désir de Sénab, Ami unique de la Maison royale, elle est maintenant sa compagne. Que leur maison se remplisse d'enfants!

Sénab était rivé à son fauteuil et Hémyounou dut le prendre par le bras pour le conduire auprès de Néférouret. Les musiciens entonnèrent un chant de réjouissance qui marqua le début d'une fête qui dura très longtemps...

---

* Hathor était associée au faucon Horus.

Épilogue

L'histoire que vous venez de lire est fictive, mais de nombreux personnages qui y figurent ont réellement vécu.

Les documents qui sont parvenus jusqu'à nous nous apprennent que Khoufou, à sa mort, après qu'on eut accompli les rites, fut déposé au cœur de sa Maison d'éternité, terminée à temps.

Il semble que sa succession se soit réglée dans une atmosphère de coup d'État. Rèdjèdef, son petit-fils, monta sur le trône des Deux Terres, mais son règne se termina brutalement après huit ans. Kafrê, le constructeur de la deuxième pyramide de Gizeh, lui succéda. Il était né d'une troisième épouse de Khoufou, dont, hélas, nous ignorons le nom.

Quelques années plus tard, quand s'éteignit le dernier descendant direct de Khoufou, ce fut un certain Ousserkaf, appuyé par les prêtres d'Onou, qui ceignit la double couronne de Kémyet. Son règne marqua un tournant capital dans l'histoire de l'Égypte, car c'est lui qui proclama l'union officielle entre le palais et le clergé de Rê.

FIN